ROBIN COLLYER
Philip Fry

Agnes Etherington Art Centre, Queen's University, Kingston, Ontario

ISBN 0 - 88911 - 026 - 3

Design: Peter Dorn, Robin Collyer
Typesetting: Brown & Martin Limited
Printing: Brown & Martin Limited
Translation: K2 Translations, Kingston

Graphisme: Peter Dorn, Robin Collyer
Composition: Brown & Martin Limited
Imprimé: Brown & Martin Limited
Traduction francaise: K2 Translations, Kingston

MAG

Foreword
Avant Propos

This exhibition of work by Robin Collyer is proposed to serve at least two purposes. One purpose is to provide a breadth of exposure; the other is to trace the artist's ideological development over nearly a decade of activity.

Collyer's work has been little seen outside the major metropolitan artistic centres of Toronto and Montreal. National prominence came to him through his participation in the exhibition *Boucherville, Montreal, Toronto, London* held at the National Gallery in 1973. With this exhibition, the first major examination of his production, Collyer's work will be seen by more centres than ever before. The catalogue, written by Philip Fry, will extend the artist's presence even further.

The catalogue for this exhibition serves the other purpose mentioned above. Collyer's output is not enormous. Neither is it easily digested. Each work is a carefully considered construct, the product of an intensely aware intelligence. Philip Fry has provided a map to the ideological journey of Robin Collyer, each work in the exhibition being a significant stage in that progress. With patience the visitor will find this exhibition a profound experience, an examination of perceptions, meanings and their relationships.

I want to thank the Art Centre staff, Dorothy Farr, Louise Dompierre and William Muysson, for their work on this exhibition.

We are indebted to Philip Fry for selecting the pieces for the exhibition and for writing the catalogue. The Canada Council and the Ontario Arts Council have provided financial assistance through their programme support towards this exhibition. The National Museums of Canada, through the Museums Assistance Programme, has provided the major funding for the organization and tour of the exhibition for which we are grateful. The artist has been involved from the start of the project and his support and co-operation has helped make it a success.

Robert Swain

Cette exposition des oeuvres de Robin Collyer veut servir tout au moins à deux fins: présenter la production de l'artiste à un vaste public et mieux cerner l'évolution idéologique de son art durant ce qui fut presque une décennie d'activité.

Si l'on excepte les grands centres artistiques que sont Montréal et Toronto, les oeuvres de Collyer n'ont été vues que très peu. Collyer atteignit à la notoriété au plan national grâce à sa participation, en 1973, à l'exposition *Boucherville, Montréal, Toronto, London* organisée par la Galerie nationale.

Première étude d'envergure de la production de Collyer, l'exposition présentera l'oeuvre de l'artiste dans plus de centres que jamais. En outre, le catalogue rédigé par Philip Fry affirmera encore davantage la présence de l'artiste. Puisque les oeuvres de Collyer ne sont pas particulièrement nombreuses et qu'on ne les assimile pas facilement, le catalogue de l'exposition permettra d'en mieux saisir l'évolution. En effet, fruits d'une intelligence particulièrement lucide, les oeuvres de Collyer sont des constructions longuement méditées. Philip Fry a tracé un portrait de l'évolution idéologique de Robin Collyer et chaque oeuvre exposée en marque une étape significative. Cette exposition fera vivre au visiteur attentif une expérience unique elle lui permettra de s'interroger sur ce que sont les perceptions, sur leurs significations, ainsi que sur les relations qu'entretiennent perceptions et significations.

J'aimerais remercier Dorothy Farr, Louise Dompierre et William Muysson du Art Centre pour leur aide dans la préparation de cette exposition.

Nous sommes redevables à Philip Fry d'avoir choisi les oeuvres exposées et d'avoir rédigé le catalogue de l'exposition. Le Conseil des arts du Canada et le Conseil des arts de l'Ontario, par l'intermédiaire de leurs programmes d'aide, ont financièrement contribué à cette exposition. Grâce au Programme d'aide aux musées, les Musées nationaux du Canada ont presque entièrement financé la majeure partie de l'organisation de l'exposition ainsi que de l'exposition itinérante; nous les en remercions. Robin Collyer s'est intéressé à ce projet dès les tous débuts; son aide et sa coopération ont permis de le mener à bonne fin.

3

Robert Swain

Itinerary
Itineraire

Agnes Etherington Art Centre
23 April - 30 May 1982

Mendel Art Gallery, Saskatoon
28 January - 6 March 1983

Centre Culturel, Universite de Sherbrooke
27 March - 8 May 1983

Dalhousie Art Gallery, Halifax
9 June - 31 July 1983

London Regional Art Gallery
26 August - 9 October 1983

Agnes Etherington Art Centre
23 avril - 30 mai 1982

Mendel Art Gallery, Saskatoon
28 janvier - 6 mars 1983

Centre Culturel, Universite de Sherbrooke
27 mars - 8 mai 1983

Dalhousie Art Gallery, Halifax
9 juin - 31 juillet 1983

London Regional Art Gallery
26 aout - 9 octobre 1983

Contents
Table des matieres

Lenders to the Exhibition
Ont preté des pieces à l'exposition

Robin Collyer/Carmen Lamanna Gallery

Jane Irwin

The National Gallery of Canada/
Galerie Nationale du Canada

Front Words

While preparing this exhibition of Robin Collyer's work, I have adopted the position of a viewer with ample time to examine the pieces closely and the opportunity to talk to the artist about them. From the very beginning, I was beset by a question that kept coming back in various forms: Is it possible to present work like Robin's clearly without dodging its complexity? To write about it without sacrificing accuracy and detail? To demonstrate its importance without confusing the reader with unfamiliar observations and ideas?

● About a year ago I asked Trevor, a friend who teaches English in high school, if he would mind reading over something I'd written. I wanted to simplify my style and thought that perhaps he could give me some help.

The next time we met, he said something like this: 'In general, the grammar is correct, the sentence structure isn't overly complicated, the words are fairly common and hardly any spelling mistakes have slipped by. But there is a problem of accessibility just the same. For an outsider, someone not directly involved in the visual arts, what you're getting at is not clear.'

I was struck by the incisiveness of the criticism and asked Trevor if he would take another go at it – this time a bit more slowly.

'The problem has to do with the abstractness of words, with the fact that they don't really *mean* anything unless they connect up with our own experience in some way. It's not really true that the dictionary gives us the *meanings* of words. The identifications are just clues that help us single out an experience. Take the word 'googly'. Do you have any idea what it means?'

'Well, no. But I don't see the problem. If you need to use 'googly', why don't you just stop for a moment and explain what it is?'

'I could try that, but it wouldn't be as easy as you seem to think. You see, 'googly' is a word used in cricket to refer to an off-break with a leg-break action. That can't make much sense to you unless you know the game fairly well – the layout of the pitch and the wickets, the positions taken by the bowler and the striker, the rules, the things the players are trying to do. Then the difference between the 'off' and the 'leg' sides, the 'break' and the bowler's sleight of hand, can be understood. How much you get from the explanation will depend on what you already know about the game.'

'And since I don't know much, the explanation will keep going on and on. A 'googly' is defined by positions and actions which in turn can't be understood unless I know the layout . . .'

'Unless you've played or watched a great deal of cricket – which makes the whole explanation unnecessary because you've gathered from your experience what's going on – or unless you are intrigued enough by the word to set to work with a rule book, some diagrams and, if you are lucky, find someone who can give you a demonstration.'

'For a newcomer, that's really hard work.'

'That's my whole point. For a text to make sense, there has to be some common ground shared by the reader and the writer. So, in your case, if the reader hasn't spent a lot of time looking at

the kind of art you're talking about, you can't expect immediate understanding. What you have to do is find some way to get onto that common ground.' ●

Early in the preparatory stages of this exhibition, Robin expressed his concern about the public's – your – access to his work. We discussed the problem from our respective viewpoints and decided to work together towards a solution as the exhibition took shape.

What we had in mind was to do whatever we could to bring you into close contact with the works themselves, giving you a chance to mull them over, to get their *feeling,* to slow down and experience them for yourself. We would dwell on what the work provides for you to see and think about. That, we hoped, would give all of us the common ground we need.

The selection of the individual pieces took place over a period of almost a year. The size of the temporary exhibition space at the Agnes Etherington Art Centre limited the number of works that could be displayed and the proposed circulation of the show to other galleries restricted our choice of works involving delicate electronic or mechanical parts. What we decided was to make a selection of exemplary pieces which would represent Robin's different concerns and commitments, his shifts of position. Since choosing concrete examples from a body of work entails considerable personal input, the final selection cannot help but reflect my point of view about Robin's work. If somebody else were to curate the show, it would, no doubt, look different.

The body of the catalogue is composed of written and photographic entries for each work. As much detail as possible – up to the point of risking apparent redundancy of text and image – has been included. You might find that in your case the text is superfluous. Skip over it then, but try to take at least enough time to notice the strange information gap that prevents the images and the text from having exactly the same meaning. You will also notice that the descriptions constantly give way to interpretations. That, I believe, has to do not only with the nature of the descriptive act, but also with the bearing of Robin's work. We just can't *see* without searching for some kind of meaning.

While writing, I have not attempted to represent Robin's viewpoint or to explain the work by an appeal to his intentions. This is for two reasons. First, our approaches differ significantly; to a great extent, Robin proceeds intuitively, following up his hunches by actually working them out in the form of a piece; whereas I usually begin with the work as an end product and try to grasp its meaning through observation, questioning, and analysis. Secondly, adopting Robin's viewpoint would betray our decision to deal as much as possible with the work itself. What goes on in the artist's mind when he makes a piece is important in this context to the degree that these thoughts are manifest in the work. To begin with Robin's intentions would risk side-stepping the main issue: instead of grappling with the work to discover what it might mean to us, the viewers, we would discover instead what it means to him, the artist.

The catalogue entries cover a period of thirteen years and are arranged in chronological order. This order should not be taken to imply that the notions of 'progress' and 'development' are implicit in the text. To be sure, Robin's work has tended to appear in successive clusters or groups, each dealing with particular issues or problem areas. But this does not necessarily mean that, in going on to something else, he has reduced the importance of what he did before by 'advancing', 'improving', and 'getting better'. Change and succession, in themselves, tell us very little about causality and values. What they allow us to see is simply that Robin has produced different sets of work, that his position as an artist has shifted from one area of concern to another. How we connect the changes, how we evaluate the shifts, are other matters altogether.

Following the catalogue entries, I have attempted to make a few cautious generalizations and to indicate the importance of Robin's work. Here, as in the rest of the text, you might run into a googly or two. But googlies are really not gobbledygook. They certainly should not be allowed to lessen your pleasure in the discovery and exploration of the art presented in this exhibition.

Philip Fry

Preface

Le point de vue que j'ai choisi pour rédiger ce catalogue est celui d'un spectateur qui prend tout son temps pour examiner les pièces minutieusement et qui peut aussi interroger l'artiste à leur sujet. Dès le commencement, une question me travaillait, revenant sans cesse sous des formes différentes: Est-il possible de présenter une oeuvre comme celle de Robin Collyer clairement sans trahir sa complexité? D'écrire à son propos sans sacrifier l'exactitude et le détail? De démontrer son importance sans confondre le lecteur avec des observations et des idées non familières?

● Il y a environ un an, j'ai demandé à Trevor, un de mes amis qui est professeur d'anglais dans une école secondaire, de bien vouloir relire un texte que j'avais écrit. Je me demandais si le style en était suffisamment clair et je pensais qu'il pourrait peut-être m'apporter son aide.

Lorsque nous nous sommes revus, il m'a dit à peu près ceci: 'En général, la grammaire a été respectée, les constructions de phrases ne sont pas trop compliquées, le vocabulaire est assez familier et les fautes d'orthographe sont presque inexistantes. Mais le texte demeure tout de même difficile à comprendre: pour un profane, c'est-à-dire quelqu'un qui n'évolue pas dans le domaine des arts visuels, ce que tu essaies d'exprimer n'est pas clair.'

J'ai trouvé ses remarques des plus pertinentes, aussi lui ai-je demandé de reprendre sa critique – un peu plus lentement cette fois-ci.

'Le problème découle du caractère abstrait des mots, du fait qu'ils n'ont de *signification réelle* que s'ils se rattachent de quelque façon à notre expérience personnelle. Le dictionnaire ne nous donne pas vraiment les *significations* des mots. Les définitions ne sont que des indications qui nous aident à cerner un sujet en particulier. Prenons le mot anglais 'googly', par exemple. Tu sais ce qu'il signifie?'

'Eh, bien, non. Mais je ne vois pas où est la difficulté. Si tu as besoin d'utiliser 'googly', pourquoi ne prends-tu pas le temps de l'expliquer?'

'Je pourrais tenter de le faire, mais ce ne serait pas aussi facile que tu sembles le croire. Vois-tu, le mot 'googly' est utilisé au cricket pour désigner une balle qui, lancée à droite du batteur ('leg break'), rebondit à droite comme le ferait une balle lancée à gauche ('off break'). Cela n'aura aucun sens pour toi si tu ne connais pas suffisamment le jeu, la disposition du terrain et des guichets, la position du lanceur et du 'striker' (le batteur dont le guichet est attaqué), les règlements et l'enjeu de la partie. C'est alors seulement qu'on peut comprendre ce que signifient les termes 'off side' (côté gauche) et 'leg side' (côté droit), et ce que l'on entend par, 'l'effet' de la balle et le tour de main du lanceur. Tu ne peux comprendre l'explication que dans la mesure où tu connais déjà le jeu.'

'Et comme je m'y connais peu, l'explication n'en finirait plus. Une balle qualifiée de 'googly' est définie par des positions et des actions que je ne suis pas en mesure de comprendre à moins de connaître déjà le plan d'ensemble . . .'

'A moins d'avoir souvent joué au cricket ou d'avoir assisté à maintes parties – ce qui rend l'explication tout à fait inutile parce que tu sais par expérience ce qui se passe – ou à moins d'être

suffisamment intrigué par le mot pour te mettre à étudier les règlements et quelques diagrammes, et assez favorisé pour te faire donner une démonstration par un expert.'

'Pour un débutant, c'est plutôt difficile.'

'C'est bien là la question. Pour qu'un texte soit compris, il faut que le lecteur et l'auteur aient un terrain de rencontre commun. Donc, dans ton cas, si le lecteur n'a pas l'habitude du genre de production artistique que tu décris, tu ne peux t'attendre à une compréhension immédiate. Par conséquent, il te faut trouver le moyen d'atteindre ce dénominateur commun entre le lecteur et toi.' ●

Alors que nous commençions à peine à préparer l'exposition, Robin s'est montré lui aussi préoccupé par l'accessibilité de ses oeuvres pour le public - vous. Nous avons discuté du problème selon nos points de vue respectifs et nous avons décidé de travailler ensemble à une solution tout en avançant dans nos préparatifs.

Ce que nous voulions, c'était mettre tout en oeuvre pour vous permettre de faire plus ample connaissance avec les pièces elles - mêmes, afin que vous puissiez les méditer à loisir et, lentement, intérioriser l'impression créée. Nous avions l'intention de nous attarder en particulier sur ce que les pièces offrent directement à l'oeil et à l'esprit. Ce serait là, du moins l'espérions-nous, le dénominateur commun dont nous avions besoin.

Il nous fallut presque un an pour procéder au choix des diverses pièces. L'espace dont nous disposions pour l'occasion au Agnes Etherington Art Centre ne nous permettait de présenter convenablement qu'un nombre limité d'oeuvres et la tenue d'expositions ultérieures dans diverses galeries d'art nous obligait à éliminer certaines pièces comportant des éléments électroniques et mécaniques trop fragiles. Nous avons donc décidé de sélectionner des pièces typiques, qui représenteraient les diverses méthodes employées par Robin dans l'exercice de son art, ses préoccupations et ses engagements, de même que ses divers changements d'orientation. Comme le choix d'exemples concrets parmi les nombreuses pièces d'une collection comporte une part considérable de subjectivité, la sélection finale ne peut que refléter mon point de vue personnel sur l'oeuvre de Robin. Si quelqu'un d'autre avait organisé cette exposition, il ne fait pas de doute qu'elle serait apparue sous un jour différent.

On trouvera dans le catalogue des photographies de chaque pièce accompagnées d'un texte de présentation. Tous les détails possibles ont été fournis - au risque même de paraître faire double emploi du texte et de l'image. Peut-être jugerez-vous que dans votre cas le texte est superflu. Alors ignorez-le mais prenez tout de même le temps de remarquer l'étrange écart informationnel qui empêche l'image et le texte d'avoir exactement la même signification. Vous remarquerez également que les descriptions cèdent constamment le pas à des interprétations. Je crois que cela tient non seulement à la nature même de l'acte descriptif mais aussi au caractère de l'oeuvre de Robin. Non contents de *voir*, il nous faut toujours chercher du sens.

Rédigeant le catalogue, je n'ai pas cherché à adopter le point de vue de Robin, que ce soit pour faire état de ses propres idées sur son oeuvre ou pour expliquer celle-ci en fonction de ses intentions. Il y a deux raisons à cela. Premièrement, nos méthodes diffèrent passablement; Robin est un intuitif qui donne libre cours à son inspiration en lui faisant prendre forme dans une pièce; quant à moi, je pars habituellement de l'oeuvre achevée et je tente ensuite d'en découvrir la signification par l'observation, le questionnement, l'analyse. Deuxièmement, en exposant le point de vue de Robin, nous trahirions notre objectif premier qui était de considérer autant que possible l'oeuvre elle - même. Dans ce contexte, les pensées qui habitent l'artiste lorsqu'il crée une pièce ne sont importantes que dans la mesure où elles se manifestent dans son oeuvre. En commençant par la motivation de Robin, nous risquerions d'esquiver la question principale: au lieu de s'attaquer à l'oeuvre afin de découvrir ce qu'elle pourrait signifier pour nous, les spectateurs, nous découvririons plutôt ce qu'elle signifie pour lui, l'artiste.

Les oeuvres inscrites au catalogue s'échelonnent sur une période de treize ans et sont disposées en ordre chronologique. Il ne faudrait pas conclure que l'ordre de présentation des oeuvres dans

le texte suppose un 'progrès' ou un 'développement' quelconque. Il est vrai que la production artistique de Robin s'est faite par étapes successives, chacune donnant naissance à un groupe de pièces inspirées par des sujets ou des problèmes particuliers. Mais cela ne signifie pas nécessairement que, cn portant son intérêt ailleurs, il a amoindri l'importance de ce qu'il faisait avant pour 'progresser' ou 's'améliorer'. La transformation et la succession, en elles-mêmes, ne nous en apprennent guère sur la causalité et les valeurs. Elles nous permettent tout simplement de constater que Robin a créé des séries distinctes d'oeuvres et qu'en tant qu'artiste, il s'est identifié successivement à divers intérêts. Quant à établir un lien quelconque entre ces changements ou à les évaluer, c'est là une toute autre affaire.

A la suite du catalogue proprement dit, j'ai tenté de faire quelques généralisations prudentes et d'indiquer l'importance de l'oeuvre de Robin. Là aussi, comme ailleurs dans le texte, il arrivera peut-être de rencontrer un 'googly' ou deux. Mais les 'googly' ne sont tout de même pas du jargon. Ils ne devraient pas nous empêcher de prendre plaisir à découvrir et à approfondir l'art présenté dans cette exposition.

Philip Fry

1

Untitled (10)

Aluminum pipe and tubing, wire, painted nylon   1969-81
183 x 275 x 35cm
Robin Collyer/Carmen Lamanna Gallery

Sans Titre (10)

Tuyau et ensemble de tuyaux d'aluminium, fil métallique, nylon
peint   1969-81
183 x 275 x 35cm
Robin Collyer/Carmen Lamanna Gallery

The original version of UNTITLED (10) was built in 1969.* It was one of a group of works in which Collyer, using flexible aluminum tubing to trace out contours and circumscribe areas, was concerned mainly with the role of linear elements in sculpture. Because they were relatively large and the tubing could easily be bent out of shape, storage of these works was inconvenient. Collyer dismantled them, recycling, stocking or discarding the used materials after a photographic record was made. In 1981, UNTITLED (10) was rebuilt with new materials, according to the documentation and Collyer's memory of the first version. The aluminum tubing used in the new version, while sufficiently pliable to conform to the requirements of the work, is more rigid than the tubing used in 1969.

UNTITLED (10) is addressed primarily to visual perception. Its clear, forthright shape is immediately visible. Its contribution to the space in which it is located is explored and assessed with the eyes, and its effect is remembered more securely as a total image than as a verbal description. In dealing with this kind of work, words are not only inadequate to express the viewer's immediate experience, they are incapable of doing so. Their function is secondary; at best, such words draw attention to certain features, provide documentary details, and announce possible connections with things that are not included within the given field of vision.

The work is composed of two principle elements –

La version originale de SANS TITRE (10) a été construite en 1969.* A cette époque, Collyer s'intéressait principalement au rôle des éléments linéaires en sculpture et il avait créé un groupe d'oeuvres, dont celle-ci, où il utilisait des tuyaux d'aluminium flexibles pour tracer des contours et circonscrire des zones. Il était difficile d'entreposer ces pièces parce qu'elles étaient assez grosses et que les tuyaux pouvaient facilement se déformer. Après avoir constitué des fiches photographiques, Collyer démonta les pièces puis disposa des matériaux usagés en les recyclant, en les entreposant ou en les jetant. En 1981, SANS TITRE (10) fut reconstruit avec de nouveaux matériaux d'après les documents de la première version et selon les souvenirs de Collyer. Les tuyaux d'aluminium utilisés dans cette nouvelle version, quoique suffisamment souples pour satisfaire aux exigences de l'oeuvre, sont plus rigides que ceux utilisés en 1969.

SANS TITRE (10) s'adresse principalement à la perception visuelle. Sa forme nette et franche est immédiatement visible. Sa contribution à l'espace ambiant est étudié et évaluée par l'oeil et c'est l'image totale, plus que toute description verbale, qui laissera une impression durable dans la mémoire. Lorsqu'on aborde ce genre de pièce, les mots ne suffisent pas à exprimer l'expérience immédiate du spectateur; ils sont même incapables de le faire. Leur rôle est secondaire; au mieux, de tels mots peuvent attirer l'attention sur certains points particuliers, fournir des détails pertinents et signaler des rapports possibles avec des choses qui ne se trouvent pas dans le champ de vision donné.

L'ouvrage est composé de deux parties principales – un tuyau d'aluminium de cinq pieds de long et de

*

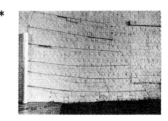

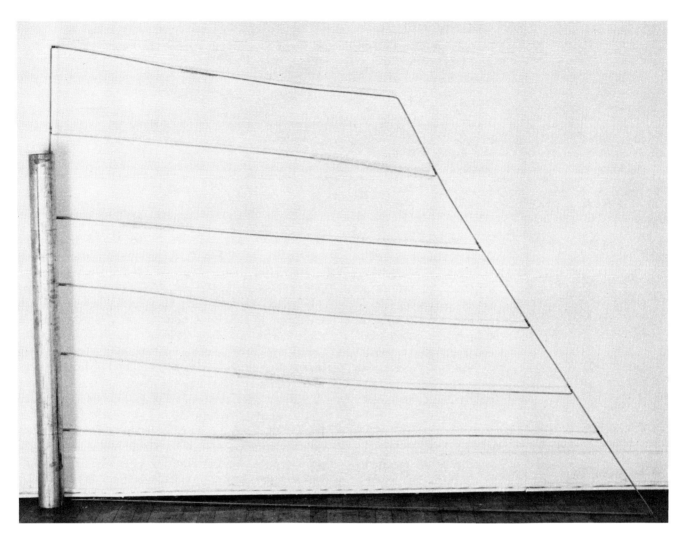

a five foot length of aluminum pipe four and one-half inches in diameter, and a linear, roughly trapezoidal figure constructed of one-quarter inch aluminum tubing, measuring six feet high by nine feet wide.

The pipe stands on one end about an inch away from the wall. No finishing work has been done to remove the streaks, blotches and stains which mar its moderately reflective metallic surface.

The six foot side of the trapezoidal figure is mounted vertically against the back of the pipe and is held in place by wire ties. The trapezoid extends to the right of the pipe, its nine foot side resting on the floor, barely angling away from the wall. At the extreme right, the gap between the trapezoid and the wall is somewhat over a foot wide. Five slightly undulating quarter-inch tubes, spaced at approximately regular vertical intervals, stretch from side to side within the trapezoid, generating a pronounced visual rhythm within the circumscribed area. This effect is enhanced by bands of nylon cloth, saturated with tinted acrylic medium, each of which covers one section of certain horizontal bars. Differing in relative position and length, the bands

quatre pouces et demi de diamètre et une construction linéaire à peu près trapézoïdale, faite de tubes d'aluminium d'un quart de pouce de diamètre, qui mesure six pieds de haut par neuf pieds de large.

Le tuyau se dresse à une extrémité, à un pouce du mur. Aucun travail de finition n'a été fait pour enlever les stries, les éclaboussures et les taches qui déparent de poli discret de sa surface métallique.

Le côté long de six pieds de la construction trapézoïdale est installé verticalement contre l'arrière du tuyau et il est maintenu en place par des fils d'attache. La forme trapézoïde s'étend vers la droite du tuyau, alors que le côté long de neuf pieds repose sur le sol en s'éloignant un tant soit peu du mur. A l'extrême droite, l'écart entre la forme trapézoïde et le mur est d'environ un pied. Cinq tubes d'un quart de pouce de diamètre, légèrement ondulés, s'étendent à intervalles verticaux assez réguliers d'un côté à l'autre de la forme trapézoïde, ce qui engendre un rythme visuel prononcé à l'intérieur de la zone circonscrite. Cet effet est accentué par la présence de bandelettes de nylon,

are coloured in hues within the pastel range, from mauve on the top edge to pink on the first cross-bar, blue on the second, green on the fourth and yellow on the fifth.

A shadow is projected on the wall behind the aluminum components. Slightly distorted by the direction of the lighting and the angle of placement, the shadow mimics the structure of the trapezoid and produces visual counterpoint.

In keeping with its visual directness, the technical aspects of UNTITLED (10) are frank, straightforward and sufficient. The wire used to bind the various sections of tubing together to form the trapezoidal figure and to attach it to the upright pipe is clearly visible. Equally evident are the twisted ends of wire by which the joints were tightened and secured. Closer inspection shows that the ends of the tubing were flattened out and where required, bent, before being wired into place. None of these operations requires specialized skills. They are governed by a rule of adequacy, avoiding carelessness on the one hand and virtuosity on the other. There is nothing mystifying about how this piece was built. Everything is up-front, evident.

UNTITLED (10) is LITERAL in the sense that its main function is to display and to articulate perceptual components within the visual field it occupies. Neither 'representing' nor 'symbolizing' something other than itself, it stands as an object in its own right, interacting with its immediate spatial environment: the floor, the wall, the lighting. Beyond their contribution to this interaction, the parts used to build the object are of no special interest as singular, historical things. When convenient, new parts can simply be substituted for old, if their properties are sufficiently similar.

The sculptural nature of UNTITLED (10) is asserted

imprégnées d'un agent acrylique coloré, qui couvrent chacune une section de certaines barres horizontales. Différentes par leur position relative et leur longueur, les bandelettes sont colorées dans une gamme de nuances pastel allant du mauve pour le rebord supérieur au rose pour la première barre transversale, bleu pour la seconde, vert pour la quatrième et jaune sur la cinquième.

Une ombre se profile sur le mur derrière les composants d'aluminium. Légèrement déformée par la direction de l'éclairage et l'angle d'exposition, l'ombre imite la structure trapézoïde et produit un contrepoint visuel.

La conception technique de SANS TITRE (10) est simple, directe et réduite à l'essentiel, ce qui va de pair avec l'immédiateté de l'expérience visuelle. On voit clairement le fil métallique employé pour réunir les diverses sections des tubes formant la figure trapézoïdale et celui qui sert à fixer cette pièce au tuyau-support. Tout aussi évidentes sont les extrémités tordues du fil métallique utilisé pour resserrer l'assemblage et le maintenir en place. On se rend compte, en y regardant de plus près, que les extrémités des tubes ont été aplaties et, au besoin, courbées, avant d'être assemblées. Aucune de ces opérations n'exige des compétences particulières. Elles sont régies par la loi de l'adéquation, écartant négligence et virtuosité. Rien de mystérieux dans le mode de construction de cette pièce: tout est clair, tout est évident.

SANS TITRE (10) est littéral en ce sens que son rôle principal est d'exposer et d'articuler des composants perceptuels à l'intérieur du champ visuel qu'il occupe. Il ne 'représente' ni ne 'symbolise' rien d'autre que lui-même; c'est un objet en soi, qui entretient des rapports réciproques avec le milieu spatial immédiat: le plancher, le mur,

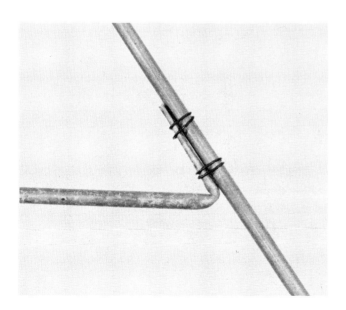

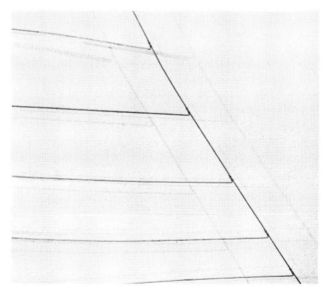

by the upright pipe which, more substantial than the tubing, encloses a volume and claims a strong position IN space, and by the angled presentation of the trapezoid which APPROPRIATES and ACTIVATES the interval which separates the tubing from the wall. But the work also has a strong affinity with drawing. Both the trapezoid, a flat structure traced in space, and the shadow it casts upon the wall, are drawings in the sense that they delineate figures in two dimensions. ●

l'éclairage. A part leur contribution à cette interaction, les pièces utilisées pour construire l'objet ne présentent aucun intérêt individuel ou historique particulier. Au besoin, de nouvelles pièces peuvent être substituées aux anciennes, pourvu qu'elles aient des propriétés assez semblables.

La nature sculpturale de SANS TITRE (10) s'affirme dans la présence du tuyau-support qui, plus substantiel que les tubes, renferme un volume et revendique une position ferme DANS l'espace, et par la disposition oblique de la forme trapézoïde qui s'approprie activement l'écart entre les tubes et le mur. Mais l'oeuvre possède une affinité certaine avec le dessin. La forme trapézoïde, qui est une structure plane tracée dans l'espace, et l'ombre projetée sur le mur sont toutes deux des dessins en ce sens qu'elles esquissent des figures à deux dimensions. ●

Jet Galaxy

Galvanized sheet metal, brick, brass and copper rods, corrugated cardboard, brass foil, bug screen   1971
Three units: tallest element 175.2cm, shortest elemènt 20.3cm
Jane Irwin

Propulsion galactique

Tôle galvanisée, brique, tiges de laiton et de cuivre, carton ondulé, feuille de laiton, moustiquaire   1971
Trois éléments: le plus haut 175.2cm, le plus petit 20.3cm
Jane Irwin

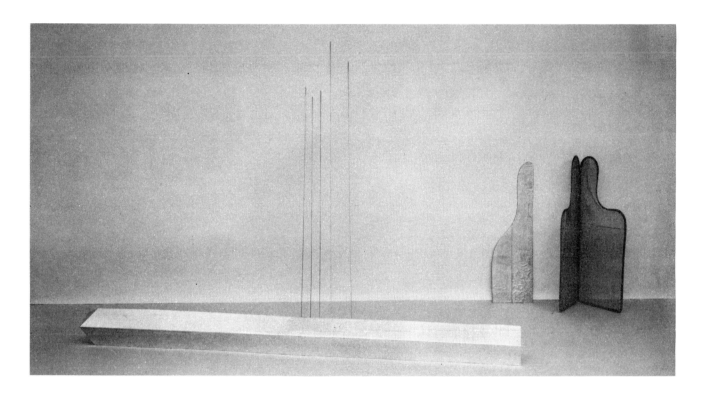

JET GALAXY singles out and elaborates upon the roles played by line, proximity and light in the organization of space. In each of this work's three units, lines appear physically as long, narrow objects tracing paths from point to point, or visually as the edges formed by the limits of surfaces and by the intersection of planes. Two of the units are composed of elements which are not connected materially, but which seem similar enough and are placed closely enough together to indicate, or at least to suggest, their membership in a group. The metal surfaces reflect light or are shaded, according to their angle of presentation; shadows are cast on the wall, echoing the forms of the linear elements.

The floor unit lies out from and at an angle to the wall, its axis horizontal. It is made of a long sheet of galvanized metal bent lengthwise along the middle to form a kind of trough. When installed, the unit

PROPULSION GALACTIQUE est une oeuvre qui met en évidence et développe les rôles de la ligne, de la proximité et de la lumière dans l'organisation de l'espace. Dans chacun des trois éléments, les lignes se manifestent physiquement comme des objets longs et étroits exécutant un tracé d'un point à un autre, ou bien visuellement comme les bords formés par les limites des surfaces et par l'intersection des plans. Deux de ces éléments sont composés de pièces physiquement distinctes mais assez semblables et assez proches l'une de l'autre pour indiquer ou du moins suggérer leur appartenance à un groupe. Les feuilles de métal, selon l'angle où elles se présentent, réfléchissent ou non la lumière; les ombres projetées sur le mur reproduisent la forme des éléments linéaires.

L'élément posé à même le sol est étendu à une certaine distance du mur, de biais avec celui-ci, suivant un axe horizontal. Il est fait d'une longue

17

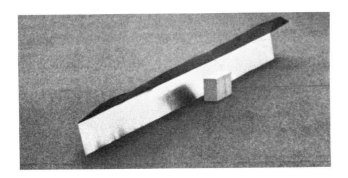

rests on one edge with the ridge of the bend facing outwards; it is prevented from tipping over by a make-shift anchor made with a grey brick and a wire fastener. Light shimmers on the surface of the exposed upper plane. At the left-hand end of the unit, the corner formed by the upper plane has been bent downwards and the corner of the lower plane has been cut off. The symmetrical positions of these details creates play between presence and absence. Opening towards the wall, presenting physical surfaces and projecting virtual planes, the unit appropriates and delineates a zone which belongs to the work, distinguishing this space from the surrounding area. Because of the angle at which the unit lies in relation to the wall, the border between the inside and the outside of the piece seems to close in more tightly at one end and to open more generously to the ambient space at the other.

Behind the horizontal floor unit a group of five slender metal rods rises with a strong vertical thrust, and leans against the wall. The two longest rods, made of brass, are located to the right of the three shorter rods of copper. The brass rods are placed further out from the wall, and spaced more widely apart than the copper rods. The spacing of the rods, together with their materials and lengths, suggests two sub-groups within the unit group. The shadows of the rods are cast onto the wall but remain attached to the rods at their tips, producing a pattern of repeating and overlapping angles, which accentuates the differece between the literal volume occupied by the rods and the flatness of the wall as a surface of projection. From the viewpoint of linear design, the rods and their shadows are as it were on equal footing. They reveal the same condition of visibility – the ambient light of the installation.

The remaining unit, located at some distance to the right of the rods, is composed of a bug screen and corrugated cardboard covered with brass foil. Made in two symmetrical sections of contoured wire mesh hinged along a central vertical seam, the screen stands partially open on its bottom edge, the ridge of the seam up against the wall. The sections angle outwards into the installation area. The

feuille de métal galvanisé pliée longitudinalement en son centre pour former une sorte de creux. Cet élément, une fois installé, repose sur l'un de ses bords de façon que l'arête du pli soit tournée vers l'extérieur; il est maintenu en équilibre par une brique grise et un fil métallique qui lui servent d'ancrage. La lumière fait miroiter la paroi supérieure ainsi offerte à la vue. A l'extrémité gauche de l'élément, le coin formé par la paroi supérieure a été plié vers le bas et le coin de la paroi inférieure a été coupé. La position symétrique de ces détails crée un jeu d'absence et de présence. Tourné vers le muer, l'élément présente des surfaces physiques qui se prolongent en plans virtuels afin de mieux délimiter une zone qui appartient à l'oeuvre et qui distingue cet espace de son environnement. À cause de l'angle sous lequel l'élément se trouve par rapport au mur, la limite entre l'intérieur et l'extérieur de la pièce semble se rapprocher davantage du mur d'un côté et s'ouvrir plus généreusement à l'espace ambiant de l'autre côté.

En arrière de cet élément horizontal posé à même le sol se trouve un jeu de cinq tiges métalliques très fines qui s'élancent vigoureusement à la verticale et s'appuient sur le mur. Les deux tiges les plus longues, faites de laiton, sont placées à droit de trois tiges plus courtes, qui sont en cuivre. Les tiges de laiton sont plus éloignées du mur et plus espacées que les tiges de cuivre. L'espacement des tiges, de même que les variations dans les matériaux et la longueur, évoque l'idée de deux sous-groupes à l'intérieur de cet ensemble. Les ombres des tiges se projettent sur le mur mais demeurent reliées aux tiges par leurs extrémités, créant ainsi une succession d'angles entrecroisés qui accentue la différence entre le volume littéral occupé par les tiges et la nature plate de la surface de projection. Les ombres acquièrent donc, pour ainsi dire, une valeur linéaire comparable à celle des tiges. Leur co-présence témoigne d'une condition propre à la visibilité: la lumière ambiante de l'installation.

Le dernier élément, situé à quelque distance des tiges, vers la droite, se compose d'un moustiquaire d'automobile et de carton ondulé recouvert d'une feuille de laiton. La moustiquaire, qui se divise en deux sections symétriques, est composée d'un treillis métallique à bordure opaque qui fait charnière autour d'un pivot central; posé sur son rebord inférieur, le pivot contre le mur, elle s'ouvre à demi vers le spectateur. Le deuxième élément, fait de carton et de laiton, s'appuie contre le mur, à gauche de la moustiquaire; sa forme se marie avec celle de la section de gauche du treillis métallique. Les ombres projetées sur le mur par le treillis constituent des silhouettes fermées; le tracé linéaire net qui reproduit la forme du treillis entoure une

contour is trimmed with a band of opaque material. Shaped to match the contour of the left section of the screen, the cardboard and foil element stands just to the left of the screen against the wall. The shadows cast by the screen on the wall are closed figures; strong linear contours mimicking those of the screen surround a shaded area. Reflecting light from its metallic surface, the brass foil element has, by its shape and placement, a strong affinity for the shadows, but it nevertheless contradicts them as presence opposes absence.

The unity of JET GALAXY, based mainly on the association of parts by physical placement, is that of a grouping of groups which themselves allow for sub-groups. In an attempt to discover the criteria which govern the constitution of these groups, the viewer can identify and weigh various relationships according to his or her interest in the various details of the work. As a kind of overall frame, the floor-wall relationship is marked by the opposition of strong horizontal and vertical lines, and explicitly articulated as volume by the contrasted directions in which the floor piece and the screen open, by the slope of the rods, and by the play of shadows on the wall. The bent and cut corners, the shadows and the foil element, suggest an investigation of modes of presence – in particular the way in which absent things can function as a constitutive part of what is here. ●

zone plus voilée. L'élément recouvert de laiton, dont la surface métallique réfléchit la lumière, possède, en vertu de sa forme et de sa position, une affinité certaine avec les ombres, mais il offre pourtant un contraste avec elles, comme la présence s'oppose à l'absence.

L'unité de PROPULSION GALACTIQUE, qui repose principalement sur une association d'éléments fondée sur leur emplacement, se manifeste comme un groupement de groupes contenant déjà des sous-groupes. Pour arriver à découvrir les critères qui régissent la constitution de ces groupes, le spectateur peut identifier et évaluer diverses relations selon l'intérêt qu'il ou elle porte aux divers détails de l'oeuvre. Prise comme toile de fond, la relation plancher – mur est marquée par l'opposition de fortes lignes horizontales et verticales, tandis qu'une dimension nouvelle, celle du volume, est clairement indiquée par la disposition de l'élément au sol et par celle du treillis, qui s'ouvrent en sens contraire, par l'inclinaison des tiges et par le jeu des ombres sur le mur. Les coins courbés et coupés, les ombres et la feuille de laiton, nous portent à analyser des modalités de la présence, particulièrement la façon dont les choses absentes peuvent servir à constituer ce qui se trouve ici. ●

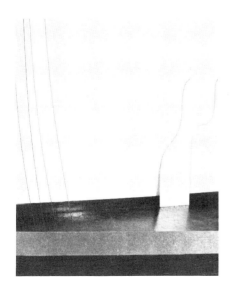

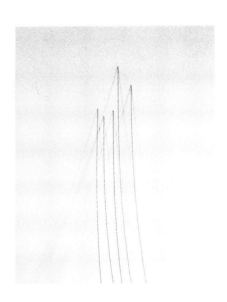

3 After Lee

Copper, brass, cardboard, fiberglass   1971
Two units: 63.5 x 91.5 x 22.8cm; 81.3 x 96.5 x 25.4cm
Robin Collyer/Carmen Lamanna Gallery

Après Lee

Cuivre, laiton, carton, fibre de verre   1971
Deux éléments: 63.5 x 91.5 x 22.8cm; 81.3 x 96.5 x 25.4cm
Robin Collyer/Carmen Lamanna Gallery

Composed of two physically separate units which stand against a wall at some distance from each other, AFTER LEE is a strongly frontal sculpture. Although side approaches reveal significant aspects of the work, there is nevertheless a privileged central-front area from which the units can be perceived as a pair, as parts of one totality.

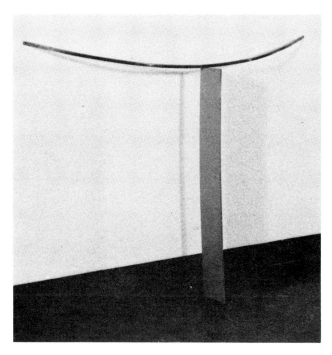

The units appear to be related by an affinity stronger than that produced by simple juxtaposition. This kinship is established by the recognition of similar T-shaped forms: each unit involves an upright, vertical element which stands out from the wall on the floor, and a horizontal component which recedes on both sides of an upper central point until its ends contact the wall. There are, however, strong material, technical and formal differences between the units which undermine their similarity and call the exact nature of their kinship into question.

The upright element of the left-hand unit is a rectangular piece of stiff cardboard measuring 63.5

APRÈS LEE est une sculpture décidément frontale, composée de deux éléments physiquement distincts qui sont adossées à un mur à quelque distance l'un de l'autre. Quoique certains aspects importants de l'oeuvre puissent être vus de côté, la région centrale avant reste une zone privilégiée qui permet d'identifier les éléments en tant que paire, en tant que parties d'un tout.

Les éléments semblent reliés par une affinité plus grande que celle produite par la simple juxtaposition. Cette parenté s'établit par l'identification de formes similaires en T: chaque élément se compose d'un montant vertical qui se détache du mur sur le plancher et d'une pièce horizontale qui s'éloigne de chaque côté d'un point central supérieur jusqu'à ce que ses extrémités touchent le mur. De grandes différences matérielles, techniques et formelles affaiblissent cependant la ressemblance des éléments et remettent en question la nature exacte de leur parenté.

Le montant vertical de l'élément de gauche est une pièce rectangulaire, faite de carton rigide, qui

x 10.1cm, placed a bit out from and at right angles to the wall. Viewed from the front, the cardboard displays its edge and appears as a thin, pliable line. Seen from an angle or from the side, it appears to be a narrow plane. When AFTER LEE is stored or moved, the cardboard can be discarded ; in each subsequent installation, a new piece is cut. The horizontal element of this unit is a substantial copper strip which rests its centre point on the top edge of the cardboard and curves in one continuous arc out from and back to the wall, where it is attached with common nails. The connection between the cardboard and copper elements involves no attaching device; the cardboard simply functions as a prop. As a whole, the left-hand unit expoits linear and planar qualities, delineating space in the manner of a drawing.

The vertical support used in the right-hand unit is a piece of brass sheeting curled more tightly at the bottom than the top to form a cone. The front of the cone presents a regular, reflective curved surface, but the edges of the brass do not overlap all the way up the back, leaving a gap. Attached to the front of the cone are two sheets of fiberglass which together form the horizontal element of this unit. Where the sheets are joined to the cone with blind rivets, their

mesure 63.5 x 10.0 cm; elle est placée perpendiculairement au mur, à quelques pouces de celui-ci. De face, c'est le bord du carton qui est visible, tel une ligne fine et souple. Vu sous un certain angle ou de côté, il devient une surface étroite. Lorsqu' APRÈS LEE est entreposé ou déplacé, le carton peut être jeté; à chaque nouvelle installation, on en coupe une nouvelle pièce. La pièce horizontale de cet élément est une solide bande de cuivre qui repose en son centre sur le bord supérieur du carton et s'incurve vers l'arrière pour rejoindre le mur auquel elle est fixée par de simples clous. La pièce de carton n'est pas attachée à la bande de cuivre mais ne fait que la soutenir. Dans son ensemble, l'élément de gauche exploite la ligne et le plan, délimitant l'espace à la façon d'un dessin.

Le support vertical utilisé dans l'élément de droite est une feuille de laiton bouclée dont la volute est plus serrée en bas qu'en haut, ce qui lui donne la forme d'un cône. La partie avant du cône présente une surface courbe régulière qui réfléchit la lumière, mais les rebords de laiton ne se referment pas complètement vers l'arrière, ce qui laisse un interstice. Fixées à l'avant du cône se trouvent deux feuilles de fibre de verre qui, ensemble, constituent la partie horizontale de cet élément. Les feuilles sont

ends do not quite abut, leaving an open seam. The sheets recede at an angle from the cone to the wall; their top edges are horizontal and straight, their bottom edges are cut to curve sharply upwards just before reaching the wall. The cone functions as a lifting and holding device; the flat planes of fiberglass segment the area in which they are installed, initiating an enclosure of space and creating an interior, wall-related volume. The unit's open structure and the translucency of the fiberglass qualify this volume as an insubstantial presence, as being there without actually being there. An effect of oscillation is produced between the virtual and the actual, the optical and the physical.

AFTER LEE proposes an investigation of the basis of similarity and difference. As both global and detailed discrepancies are noticed, the units appear as utterly individual, radically different things. Their similarity can then be seen to reside less in their physical, literal, reality than what the viewer does to them by producing a generalized abstract form, the T-shape – a mental reality created through his or her activities of perception and judgement. ●

retenues au cône par des rivets pleins mais elles ne s'aboutent pas tout à fait à cet endroit, ce qui laisse un joint ouvert. Les feuilles s'éloignent ensuite du cône en obliquant vers le mur; leurs bords supérieurs sont horizontaux et droits, leurs bords inférieurs sont coupés de façon à se courber brusquement vers le haut juste avant d'atteindre le mur. Le cône est un dispositif pour soulever et soutenir la sculpture; les surfaces planes de la fibre de verre segmentent la zone où elles sont installées, cernant ainsi une portion d'espace dont le volume s'établit en fonction du mur. La structure ouverte de l'élément et la transparence de la fibre de verre font de ce volume une présence presqu' immatérielle. On obtient ainsi un effet d'oscillation entre le virtuel et le réel, entre le visible et le tangible.

APRÈS LEE nous propose une réflexion sur l'essence même de la ressemblance et de la dissemblance. Plus on remarque les différences d'ensemble et de détail entre les éléments, plus ils nous semblent tout à fait individuels et radicalement distincts. On constate alors que leur ressemblance réside moins dans leur réalité physique, c'est-à-dire littérale, que dans la réaction du spectateur qui en fait une abstraction connue, la forme en T, soit une réalité mentale issue de son activité perceptuelle et critique. ●

4

Lance Allworth
Galvanized corrugated sheet metal   1971
Three units: 201 x 473 x 99cm (overall)
Robin Collyer/Carmen Lamanna Gallery

Lance Allworth
Tôle ondulée galvanisée   1971
Trois éléments: 201 x 473 x 99cm (l'ensemble)
Robin Collyer/Carmen Lamanna Gallery

Each of the three units of LANCE ALLWORTH exploits the installation site in different ways. Going from left to right, the first unit rests on the floor and leans against the wall; the second, located a bit out from the wall, is free standing; and the third lies flat against the wall at a comfortable viewing height. No bases or frames are used; the units are in direct contact with the floor and the wall. Used this way as support surfaces, the floor and the wall function more explicitly than usual as planes which meet at right angles, setting up the work's concrete spatial conditions – mainly lateral, horizontal and vertical extension – and generating a potential volume which has both possibilities (it is open to the front and sides) and limitations (it is closed to the back). The unity of the piece is assured by the grouping of the units, and by the evident homogeneity of the galvanized corrugated sheet metal used in their assemblage.

Chaque élément de LANCE ALLWORTH exploite le site d'installation de façon différente. L'élément de gauche repose sur le sol et s'appuie sur le mur; celui du centre, situé à quelque distance du mur, est indépendant; et celui de droite est accroché à plat contre le mur, à la hauteur des yeux. On n'utilise ni bases ni cadres; les éléments sont en contact direct avec le plancher et le mur. Ainsi utilisés comme points de soutien, le plancher et le mur jouent un rôle plus explicite qu'à l'ordinaire: ce sont deux surfaces planes perpendiculaires qui déterminent les conditions spatiales concrètes de l'oeuvre – principalement son extension latérale, horizontale et verticale – et engendrent un volume potentiel qui offre des possibilités (il est ouvert vers l'avant et les côtés) en même temps que des limites (il est fermé vers l'arrière). L'unité de l'oeuvre est assurée par le groupement des éléments et par l'homogénéité évidente de la tôle ondulée galvanisée qui est utilisée

The leaning unit is composed of five strips of metal sheeting, three slightly longer than the other two. On the longer strips, the corrugation runs horizontally and some of the corners are truncated; on the shorter strips, the corrugation is vertical and the tops have regular corners. The strips are installed to stand on their ends, snugly edge to edge, the longer at the centre and sides of the assemblage, the shorter in between. No connecting or bracing devices are used to hold the strips together or to attach them to the wall. Because the strips are somewhat pliable and springy and of different lengths, they undulate slightly and gaps appear between them along the seams, accentuating the transience and apparent off-handedness of their assemblage by simple juxtaposition. The visual complexity of the surface formed in this way is heightened by the alternating directions of the corrugation and by the uneven reflection of light on the galvanized metal. This unit both short-cuts and partially masks the right-angle juncture of floor and wall, its slightness and impermanence in opposition to the immobility of the installation site.

The free-standing floor unit is made from a single sheet of metal bent twice, its ends meeting to form a three-sided box with no top or bottom. To hold this shape, the metal is crimped along the joint.* The

*

dans leur assemblage.

L'élément appuyé au mur est composé de cinq bandes métalliques, dont trois sont un peu plus grandes que les autres. Sur les bandes plus longues, les ondulations sont horizontales et certains coins sont tronqués; sur les bandes plus courtes, les ondulations sont verticales et les extrémités supérieures ont des coins réguliers. Les bandes sont installées de façon à reposer sur leurs extrémités, serrées les unes contre les autres; les plus courtes s'intercalent entre les plus longues, qui se trouvent au centre et sur les côtés de l'ensemble. Aucune attache ou entretoise n'est utilisée pour réunir les bandes les unes aux autres ou pour les fixer au mur. Parce que les bandes sont quelque peu souples et flexibles et n'ont pas la même longueur, elles ondulent légèrement et laissent voir des interstices le long des joints, ce qui accentue la nature transitoire et la désinvolture apparente de leur assemblage par simple juxtaposition. La complexité visuelle de la surface ainsi formée est intensifiée par l'alternance de la direction des ondulations et par la réflexion irrégulière de la lumière sur le métal galvanisé. Cet élément, par sa minceur et son instabilité, contraste avec l'immobilité du lieu d'installation et court-circuite la perpendicularité du mur avec le plancher en même temps qu'il la masque partiellement.

L'élément posé à même le plancher est fait d'une seule feuille de métal pliée à deux reprises dont les extrémités se rencontrent pour former une boîte à trois côtés, sans dessus ni fond. Afin que le métal garde sa forme, les bords sont pincés le long du joint.* La boîte est installée de façon qu'aucun de ses côtés ne soit exactement parallèle ou perpendiculaire au mur. Les ondulations sont verticales. Fermée et opaque sur les côtés mais ouverte vers le haut, la boîte remplit une fonction complexe. Tout en occupant une position et en délimitant un emplacement dans le cadre de l'installation, elle cerne également une certaine zone, créant ainsi une

box is installed so that none of its sides are exactly parallel or perpendicular to the wall. The corrugation runs vertically. Closed and opaque around the sides but open from above, the box's function is complex. While taking up a position and marking a location within the site of the installation, it also encloses an area, creating an opposition between the inside and the outside, and appropriates the space above its rim through the virtual upward extension of its sides. Viewed in relation to the permanent surface of the wall, the planes evoked by the sides of the box are askew; the torque emphasizes the difference between the given conditions of the location and the space produced by the work. The uncovered top of the unit reveals the inside to be a contained and relatively constrained volume which contrasts with the openness of the surrounding area. Although it is empty, the interior of the box is not nothing.

The wall unit is composed of five flat pieces of sheet metal cut to form, when assembled, the shape of a theatre or movie curtain. The pieces are attached directly to the wall with small nails. The corrugation is vertical. If the shape of this unit clearly hints that it is a frame for a three-dimensional space – that of the theatre, or a purely figurative space – that of a film, it effectively short-circuits its own suggestion by displaying nothing more than the flat surface of the wall. Sufficient grounds are thereby provided for the viewer to reject the unit's strong figurative suggestion and to treat the unit for what it actually is: an assemblage of flat metal shapes marking out an area on the wall.

The words LANCE ALLWORTH function more as a proper name than as a title. Proper names have little meaning of their own; they simply point out or denote things. Titles usually suggest some meaning or indicate a program of investigation.   ●

opposition entre l'intérieur et l'extérieur, et elle s'approprie l'espace qui s'élève au-dessus de son pourtour grâce au prolongement virtuel de ses côtés vers le haut. Considérées par rapport à la surface permanente du mur, les surfaces planes évoquées par les côtés de la boîte sont à fausse équerre; la torsion accentue la différence entre les conditions données du lieu et l'espace produit par l'oeuvre. Le dessus non fermé de l'élément laisse voir un volume intérieur contenu et relativement renfermé qui contraste avec le dégagement du milieu environnant. Même s'il est vide, l'intérieur de la boîte n'est pas rien.

L'élément accroché au mur se compose de cinq pièces de tôle plates découpées de façon à suggérer, une fois assemblées, un rideau de théâtre ou de cinéma. Les pièces sont fixées directement au mur au moyen de petits clous. L'ondulation est verticale. Si cet élément évoque clairement par sa forme l'idée d'un cadre pour un espace tridimensionnel – celui du théâtre, ou un espace purement figuratif – celui d'un film – il annule en réalité sa propre suggestion en n'exposant rien de plus que la surface plane du mur.

Le spectateur dispose donc de raisons suffisantes pour rejeter cette forte suggestion figurative et considérer l'élément pour ce qu'il est: un assemblage de formes métalliques plates délimitant une portion du mur.

Les mots LANCE ALLWORTH fonctionnent plûtôt comme un nom propre qu'un titre. Les noms propres ont peu de signification en soi; ils ne font que désigner ou indiquer les choses. Les titres suggèrent généralement une certaine signification ou indiquent un programme de recherche.   ●

5

Likers
Steel, aluminum, wood, corrugated cardboard, wax   1972
Two units: 61.6 x 96.5 x 39.3cm; 32.7 x 61 x 47cm
The National Gallery of Canada, Ottawa

Ressemblances
Acier, aluminium, bois, carton ondulé, cire   1972
Deux éléments: 61.6 x 96.5 x 39.3cm; 32.7 x 61 x 47cm
La Galerie nationale du Canada, Ottawa

Both units of LIKERS are box-shaped and free-standing. Grouped as a couple, they are oriented so that none of the sides of one unit lines up with or is parallel to any sides of the other. The shortest distance between them is a gap of about thirty inches which separates their inside corners. One tall, slender and straight-edged, the other short, stout and of irregular edge, there is an interplay, a kind of mutual dependency and exchange between the units, which suggests modes of presence and almost seems to confer on them personalities of their own.

Chacun des deux éléments de RESSEMBLANCES a la forme d'une boîte posée à même le plancher. Réunies pour former un couple, les boîte sont orientées de façon qu'aucun côté de l'une ne soit aligné sur un des côtés de l'autre ou ne lui soit parallèle. L'intervalle le plus court qui existe entre les deux est un écart d'une trentaine de pouces qui sépare leur coins intérieurs. La premier boîte, haute et mince, a un rebord droit tandis que la seconde, petite et épaise, a un rebord irrégulier et cette différence crée entre elles une certaine réciprocité,

The sides of the taller unit are made of one-eighth inch galvanized steel sheeting bent at right angles to form the corners and held in place with cold rivets where the ends come together. The box has no bottom or trim around the bottom edges. The top is composed of a thin sheet of galvanized steel coated with wax on its upper surface and glued to a cardboard backing underneath. The combined thickness of these materials is very slight; the edges produced nevertheless visibly incorporate the straight, hard rigidity of the metal and the softer undulations of the cardboard. Overlapping the body of the box on all sides, the top appears to sit very

une sorte de dépendance mutuelle et de symbiose qui évoque divers modes de présence et semble presque conférer à chaque élément une personnalité propre.

Les côtés de la boîte la plus grande sont faits d'une tôle d'acier ondulée d'un huitième de pouce d'épaisseur pliée à angle droit pour former chaque coin et maintenue en place au point de rencontre des extrémités par des rivets à froid. La boîte n'a pas de fond et les rebords inférieurs ne sont pas bordés. Le dessus est fait d'une mince feuille d'acier galvanisé, enduite de cire à l'endroit et munie d'un renfort de carton collé à l'envers. Malgré la superposition de

gently in place, weighing little, exerting little pressure on the body. There could be a temptation to take this box for more than it literally is, to see it as a calm, rising presence; a simple, elegant gesture upwards.

The smaller unit, composed of superimposed elements, is divided into three distinct strata. The lower level, about 7 inches high, consists of a thin aluminum skirt which seems to hold up the other strata. Fashioned by cutting out the corners of a rectangular piece of sheeting and folding the resultant flaps downwards to form an inverted box,

the aluminum is in reality supported by a wooden structure hidden underneath. Thin, pliable, and finished with an uneven coating of translucent wax, the flaps form undulating surfaces and wavy, curved lines appear where they run along the floor. They do not meet well at the corners, allowing irregular gaps to appear. The middle element is built according to the same plan using an internal support, except that a one-eighth inch folded steel plate is substituted for the aluminum. A little over five inches in height, darker, heavier, more substantial in aspect than the aluminum sheeting, with regular edges and only slight, rectilinear gaps at the corner seams, this compact, weighty element sits squarely on the lower component and seems to press downwards. The top level is a rectangular slab of seven-sixteenth inch aluminum plate which lies directly on the steel element without any fastening device. The thickness of the plate is visible on all sides, revealing that this element is a solid mass, a characteristic which opposes it to the other two strata.

The impression conveyed by the smaller unit as a whole has to do with gravity, weight, pressure. If dramatic terms were acceptable in a factual description, it could be said that the lower level appears to struggle under the crushing weight of the other two strata. But it is, of course, doing no such thing.

In LIKERS, even the distance between the units conspires to tempt the viewer to see more than what

ces matériaux, le couvercle est plutôt mince; il offre pourtant à la vue une tranche qui allie la rigidité stricte du métal à la souplesse relative du carton ondulé. Ce couvercle, qui déborde la boîte de tous côtés, semble avoir été posé là délicatement; il pèse peu et n'exerce pratiquement aucune pression sur la boîte elle-même. On pourrait être tenté d'accorder à cette boîte une valeur qui transcenderait sa littéralité, de la considérer comme une présence sereine, simple et élégante dans sa verticalité.

La plus petite boîte, composée de pièces superposées, se divise en trois sections distinctes. Le niveau inférieur d'une hauteur de sept pouces environ, consiste en un mince jupon d'aluminium qui semble supporter les autres sections. Cette feuille d'aluminium, qui est en réalité soutenue par une structure de bois dissimulée sous l'élément, provient d'une tôle rectangulaire dont les coins ont été découpés; les rabats ainsi obtenus ont été pliés vers le bas pour former une boîte renversée. Ces rabats minces et souples sont recouverts d'une couche irrégulière de cire translucide; ils forment des pans ondulés dont la partie inférieure dessine sur le plancher des lignes sinueuses. Ils ne se rejoignent pas complètement dans les coins, ce qui laisse subsister des fentes inégales. La section centrale est construite selon le même plan et repose sur un support interne, sauf qu'il s'agit ici d'une plaque d'acier repliée d'un huitième de pouce d'épaisseur plutôt que d'une feuille d'aluminium. Cette section compacte et lourde, posée carrément sur la partie inférieure, comme pour la comprimer, est un peu plus foncée, plus pesante et d'apparence plus substantielle que la section en aluminium; haute d'un peu plus de cinq pouces, elle a des rebords réguliers et des coins mieux fermés qui ne laissent voir que des fentes étroites et rectilignes. La section supérieure est une plaque rectangulaire en aluminium, épaisse de sept seizièmes de pouce, qui repose directement sur la section en acier sand être retenue d'aucune façon. L'épaisseur de la plaque, qui est évidente de tous côtés, indique qu'il s'agit là d'une pièce massive, bien différente des deux autres sections.

L'impression laissé par cette boîte dans son ensemble est celle de gravité, de poids, de pression. S'il était de bon ton de faire une description concrète en termes dramatiques, on pourrait dire que la partie inférieure semble lutter sous le poids écrasant des deux autres sections. Mais il n'est est rien, évidemment.

Dans RESSEMBLANCES, même la distance entre les éléments porte le spectateur à rechercher dans l'oeuvre une signification qui transcende son aspect matériel. Les éléments sont assez éloignés l'un de l'autre pour qu'on puisse circuler entre eux, mais ils

is materially present in the work. The units are far enough apart to permit one to walk in-between, but they are also close enough to seem involved with each other. There is a hint, a vague suggestion, that stepping in-between would not only violate the literal spatial conjuncture but would also break something up in much the same way as a conversation is interrupted.

LIKERS functions in the very narrow and variable margin which separates literal objects and figurative expressions. There is nothing in this piece that requires more than a factual approach, more than a visual grasp of its components and structure. Yet it flirts with a common tendency to anthropomorphize physical things, a proclivity to project human characteristics, situations and standards onto things of a purely material nature. The temptation to see LIKERS as a quasi-human couple, a kind of Mutt and Jeff of the object world, is restrained and remains just that – a temptation. The literal evidence is so strong, so overpowering, that to accept a figurative interpretation as more than a possibility would require a deliberate effort, a decision to give into the temptation. It is however because the temptation is so subtle, no more than a vague insinuation running counter to the evidence, that LIKERS is able to reveal an aspect of one of the central issues in visual expression, that of content. LIKERS permits the identification of content as a product of the viewer's activity, something that is not given or found IN the piece but rather something generated by the viewer as he or she works ON and WITH the piece. ●

sont également assez rapprochés pour évoquer l'idée d'une association. Ce n'est qu'une allusion, une vague suggestion, mais on aurait l'impression, en marchant entre les deux éléments, non seulement de violer l'espace littéral qu'ils occupent, mais aussi de briser quelque chose d'indéfinissable, comme une conversation qu'on interrompt.

RESSEMBLANCES se situe à la frontière étroite et changeante qui sépare l'objet littéral de l'expression symbolique. Cette sculpture n'exige du spectateur rien de plus qu'une approche objective, qu'une perception visuelle de ses éléments composants et de sa structure. Pourtant, elle éveille chez lui le désir bien normal d'anthropomorphiser les choses physiques, c'est-à-dire de projeter des caractéristiques, des situations et des normes humaines sur des choses de nature purement matérielle. La tentation de considérer RESSEMBLANCES comme un couple quasi humain, une sorte de Mutt et Jeff du monde des objets, ne se concrétise pas et demeure justement cela – une simple tentation. La présence littérale est tellement évidente, tellement imposante qu'il faudrait faire un effort délibéré ou prendre une décision consciente pour succomber à la tentation d'accepter l'interprétation symbolique comme une réalité. C'est toutefois parce que la tentation est si subtile et qu'elle n'est rien de plus qu'une vague insinuation contraire à l'évidence que RESSEMBLANCES est en mesure de révéler un des principaux aspects de l'expression visuelle, soit le contenu. RESSEMBLANCES permet au spectateur de participer activement à l'identification du contenu, et c'est là quelque chose qui ne procède pas de l'apparence OBJECTIVE mais qui est plutôt le fruit d'une démarche SUBJECTIVE. ●

6

I'm still a Young Man

Masonite, cold-rolled steel, aluminum frame and cotton pup tent,
airplane model   1973
Three units: 96.5 x 660 x 254cm (overall)
Robin Collyer/Carmen Lamanna Gallery

Je suis encore un jeune homme

Masonite, acier laminé à froid, tente miniature en cotton et armature
d'aluminium, avion-jouet   1973
Trois éléments: 96.5 x 660 x 254cm (l'ensemble)
Robin Collyer/Carmen Lamanna Gallery

While strongly asserting the material and formal characteristics of its three visual units – an airplane model resting on a metal support, a small pup tent and a more or less pie-shaped masonite construction – this work also evokes self-referential or autobiographical subject matter. This subject matter is brought to mind by a process of association as the viewer identifies the units and attempts to reconcile their heterogeneity with their inclusion in one piece. The verbal unit, I'M STILL A YOUNG MAN, is an integral part of this work. It functions less as a name than as a title-statement, suggesting a program which focuses or at least orients the general direction of the viewer's investigation.

The units, all free-standing, are arranged so that the tent is located between the other two components, the airplane to the left and the masonite construction to the right, if the nose of the airplane is taken to indicate the front. Though not involved in the piece as a material support nor required for technical reasons, a wall can function as a kind of back-drop, providing the installation with a visual horizon. The orientation of each unit's main axis differs from that of the others and from that of the wall; as a whole, the layout presents an irregular, straggling line-up with no indication of beginning or end. The absence of strong parallelism and directional indications makes it possible for

Tout en mettant en évidence les caractéristiques matérielles et formelles de ses trois éléments visuels – un avion-jouet reposant sur un support métallique, une tente miniature et une construction de masonite ayant plus au moins la forme d'une tranche de tarte – cette oeuvre évoque un thème auto-référentiel ou autobiographique. C'est par association d'idées que ce thème vient à l'esprit du spectateur au fur et à mesure qu'il identifie les éléments et tente de réconcilier leur hétérogénéité avec leur inclusion en une seule oeuvre. L'élément verbal, JE SUIS ENCORE UN JEUNE HOMME, fait partie intégrante de cette oeuvre. Ce titre est plus qu'une simple désignation de l'objet, c'est un exposé destiné à indiquer au spectateur la voie à suivre dans ses recherches ou du moins à l'orienter dans ce sens.

Les éléments, tous posés à même le sol, sont placés de telle sorte que la tente se trouve entre les

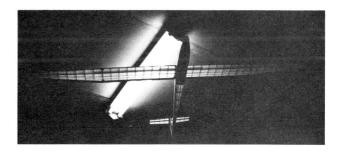

each unit to retain a certain degree of autonomy as an object and as a source of meaning. The order to be followed in passing from unit to unit, in pursuing associations and in making connections, is left up to the viewer.

The model is a glider with a wing span of slightly over six feet. Built from a kit, it is constructed of a balsa wood frame over which tissue paper has been stretched and coated with clear dope. The transparent plastic cockpit hood supplied with the kit has likewise been covered with tissue and dope, a modification which makes the whole model uniformly translucid. Its internal structure, that which determines its external shape, can easily be traced out but cannot be seen clearly. The wings and the horizontal element of the tail assembly are detachable. On the vertical stabilizer there are two pins with coloured heads, one red and one blue. In much the same way that the word "crown" stands for an object and can also call to mind leadership and functions of state, so the model exists not only as an object but also evokes a world of youthful activities, attitudes and values.

The model rests on a low-lying, box-shaped object made of folded and welded metal plate. The front flap of metal does not quite reach down to the floor, leaving a horizontal gap which opens to the inside of the box. An intriguing irregularity in an otherwise commonplace shape, the gap calls attention to the box's status as an object in its own right, as a thing that can stand on its own. But as it is seen here, the box also has a transitive function, that of a base or a plinth, by which it isolates, supports and presents the model as a focus of attention. There is a strong contrast between the model, light in regard to its colour, weight and aerial function, and the box, dark, heavy and floor-bound. The suggestion would seem to be that both as object and as base, the box is an intrinsic component of this unit, working with the model, contributing its specific characteristics, to create a functional unity which engenders a particular effect.

The pup tent, a standard commercial item, is the small type sometimes used by children playing in the yard. Comparable in construction to the glider, it is made of white cotton stretched over an aluminum frame. It has no floor. Its simple, clearly delineated shape is reminiscent of elements found in other of Collyer's works, for example the three-sided sheet metal box in LANCE ALLWORTH. Seen not only in its literal reality but also as standing for the contexts and uses it suggests to each viewer, the tent works as visual metonymy, conjuring up subjective feelings and ideas. Like the glider, it suggests a youthful activity, but it also intimates adult freedoms as well, time off work, relaxation,

deux autres unités, soit l'avion à gauche et la construction de masonite à droite, si l'on tient pour acquis que le nez de l'avion se trouve sur le devant de l'oeuvre. Si l'on veut créer derrière l'installation une sorte d'horizon visuel, on peut utiliser un mur comme toile de fond, même s'il ne s'intègre pas à la pièce comme support matériel ou élément technique.

L'orientation de l'axe principal de chaque élément diffère de celle des autres et de celle du mur; l'installation se présente comme un alignement nonchalant d'objets sans indication d'un commencement ou d'une fin. L'absence d'un parallélisme net et d'une orientation précise permet à chaque élément de conserver au certain degré d'autonomie en tant qu'objet signifiant. Libre au spectateur de choisir l'ordre dans lequel il veut examiner les éléments, effectuer des associations et établir des rapports entre eux.

L'avion-jouet est un planeur ayant une envergure d'une peu plus de six pieds. Construit à partir d'un ensemble en pièces détachées, il est fait d'une armature en bois de balsa qui a été recouverte d'un papier de soie bien tendu et d'une laque transparente. La verrière de plastique transparent fournie avec l'ensemble a également été recouverte de papier de soie et de laque, et cette modification a rendu tout l'avion translucide. On peut en deviner aisément la structure interne, qui détermine la forme externe, mais on ne peut la voir clairement. Les ailes et l'élément horizontal de l'empennage sont amovibles. Sur le plan fixe vertical de l'empennage se trouvent deux goupilles à tête colorée, l'une rouge et l'autre bleue. De même que le mot 'couronne' désigne un objet et évoque aussi la conduite des affaires de l'Etat, ainsi l'avion existe non seulement en tant qu'objet mais représente aussi un monde d'activités, d'attitudes et de valeurs typiques de la jeunesse.

L'avion repose sur un objet bas, en forme de boîte, fait d'une plaque de métal pliée et soudée. Le rabat métallique avant ne rejoint pas tout à fait le plancher, laissant ainsi un interstice horizontal qui s'ouvre sur l'intérieur de la boîte. C'est là une irrégularité inattendue dans un objet par ailleurs aussi courant, irrégularité aui attire justement l'attention sur l'identité propre de la boîte, sur son autonomie comme objet. Mais telle qu'elle apparaît ici, la boîte a également une fonction transitive, celle d'une base ou d'un socle qui sert à isoler et supporter l'avion pour le mettre en évidence. L'avion offre un contraste frappant avec la boîte: l'un est pâle et d'apparence légère et aérienne alors que l'autre est foncée et d'aspect lourd et terre à terre. On semble vouloir suggérer que la boîte, aussi bien à titre d'objet que de base, fait partie intégrante d'un ensemble, qu'elle lui apporte, en même temps que

perhaps a holiday in the woods.

The remaining unit, shaped like a piece of pie with the pointed end removed, is made of masonite scraps fixed to a wooden armature with nails and screws of different sizes. The edges of the scraps are rough, the seams loosely fitted; the scraps seem to have been used as they were when found. Although the natural colour and texture of masonite dominates, there are painted or paint-splattered areas which do not extend across seams and edges. In this way, each scrap declares, as it were, its individuality. The effect is that the artist seems simply to have made do with what was at hand. In its shape and in its facture, this unit is typical of the artist's earlier work; in this, it can elicit a kind of retrospective allusion to the past activity of the artist as a young sculptor.

The subject of the title-statement I'M STILL A YOUNG MAN, the pronoun 'I', belongs to a group of words called 'shifters' because they change their meaning according to the person speaking and the person spoken to. Context can also restrict, widen or otherwise modify this meaning. Here, because it is he who proposes the piece to the viewer, 'I' seems to be a simple self-reference by the artist. When, however, this usage is examined more closely, especially in regard to how it functions with the three visual units, it is seen to cover three selves, that of the model builder, the camper and the artist-sculptor. Moreover, the triple 'I' of the past is brought together, in the present, by an 'I' who has taken some distance and, appearing as author of this particular work, has a capacity which is not identical to those exercised in the past. 'I' is many, but still a young man. We can test out this proposition and weigh its implications by checking it against personal experiences of the types evoked by the visual units while adopting the position of 'I'. If 'I' is found to be many, one implication is that the artist, even when dealing with autobiography, is free to choose which 'I' he wishes to present, adding to or leaving aside aspects of his life, perhaps creating a new, fictitious self to suit his purposes. To this controlled duplication of the 'I' who asserts, corresponds the possibility of duplicity, of the lie.

l'avion, des caractéristiques spécifiques lui permettant de créer une unité fonctionnelle qui engendre un effet particulier.

La tente miniature, qui est un article commercial standard, est un petit modèle comme celui dont les enfants se servent pour jouer dans leur cour. De construction comparable à celle du planeur, elle est faite d'une pièce de coton blanc tendue sur une armature d'aluminium. Elle ne comporte pas de plancher. Sa forme simple, clairement définie, rappelle d'autres éléments de l'oeuvre de Collyer, par example la boîte métallique à trois côtés de LANCE ALLWORTH. Considérée non seulement dans sa réalité littérale mais aussi comme le symbole des contextes et des usages qu'elle suggère à chaque spectateur, la tente est pour ainsi dire une métonymie visuelle, qui évoque des idées et des sentiments subjectifs. Comme le planeur, elle nous rappelle notre jeunesse mais elle représente aussi bien les libertés de l'âge adulte, les jours de congé, les moments de détente et pour certains, les vacances dans la nature.

Le dernier élément, qui a la forme d'une pointe de tarte de laquelle on aurait retranché l'extrémité, est fait de morceaux de masonite fixés à une armature de bois au moyen de clous et de vis de grandeurs diverses. Les morceaux de masonite sont mal dégrossis et mal ajustés, comme s'ils avaient été utilisés tels quels. Quoique la couleur et la texture du masonite dominent, certains endroits ont été peints – ou plutôt tachés de peinture – sans que la couleur s'étendît d'un morceau à l'autre. C'est là une façon, pour chaque morceau, d'affirmer en quelque sorte son individualité. On dirait que l'artiste s'est contenté d'utiliser ce qu'il avait sous la main. Par sa forme et sa facture, cet élément est caractéristique des premières oeuvres de l'artiste; il peut donc provoquer une sorte d'allusion rétrospective aux oeuvres de jeunesse du sculpteur.

Le titre – exposé JE SUIS ENCORE UN JEUNE HOMME constitue l'élément verbal de cette pièce. Son sujet, le pronom 'Je', appartient au groupe des 'embrayeurs', ainsi nommés parce que leur signification change selon la personne qui parle et la personne à qui l'on s'adresse. Le contexte peut aussi restreindre, étendre ou modifier de quelque autre façon cette signification. Ici, le pronom 'Je' semble tout simplement faire allusion à l'artiste lui-même parce que c'est lui qui présente cette pièce au spectateur. Cependant, lorsqu'on réfléchit davantage à cette acception, particulièrement en ce qui concerne les trois éléments visuels, on se rend compte qu'il peut s'agir de trois aspects de la même personne: le constructeur de l'avion, l'amateur de camping et l'artiste-sculpteur. Du plus, le triple 'Je' du passé se trouve maintenant réuni en une seule

And then, for us, the question is not only of seeing, but of believing. ●

personne, un 'Je' qui observe une certaine distance à l'égard de ses autres personnages et qui, en tant qu' auteur de cette oeuvre en particulier, possède un talent que ceux-ci n'avaient pas dans le passé. Ce 'Je' a plusieurs facettes, mais c'est toujours un jeune homme. Nous pouvons faire l'essai de cette proposition et en apprécier la signification profonde en la comparant à des expériences personnelles semblables à celles évoquées par les éléments visuels, en même temps que nous nous identifions à 'Je'.

Si l'on admet que ce 'Je' est multiple, cela signifie entre autres choses que l'artiste, même lorsqu'il aborde son autobiographie, est libre de choisir le 'Je' qu'il désire présenter; il peut enjoliver certains aspects de sa vie ou en ignorer d'autres, ou même s'inventer une personnalité fictive qui réponde mieux à ses besoins. A ce dédoublement conscient du 'Je' qui s'affirme, correspond une possibilité de duplicité, de mensonge. A partir de ce moment, pour nous, il n'est plus seulement question de voir, mais de croire. ●

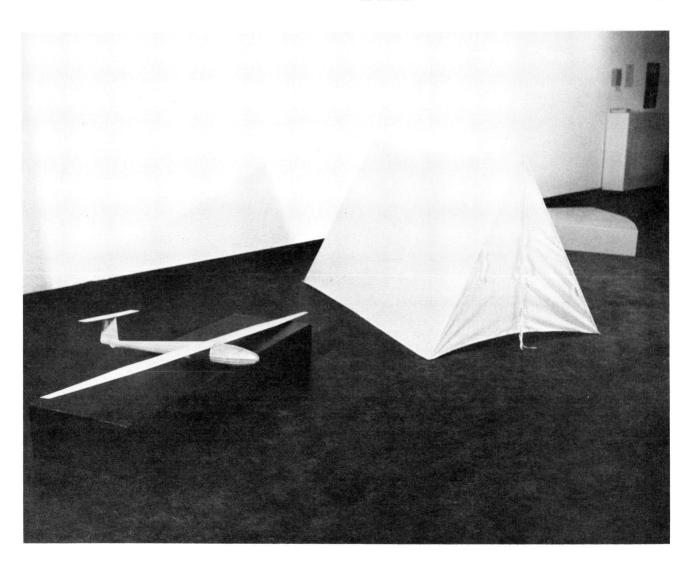

Shirley and Clint Eastwood (Newfoundland 7/73)
Black and white photograph   1973
Print size: 40.7 x 50.5cm
Robin Collyer/Carmen Lamanna Gallery

Shirley et Clint Eastwood (Terre - Neuve 7/73)
Photographie en noir et blanc   1973
Format de l'épreuve: 40.7 x 50.5cm
Robin Collyer/Carmen Lamanna Gallery

This work consists of a snapshot and a title which acts as a caption. The image shows a view of a group of people lined up in a low, tile-ceilinged room, their backs to the camera. Two figures dominate the foreground. To the lower left in a close-up position there is a woman, presumably the 'Shirley' named in the title. One of her shoulders and most of her body are cropped by the picture's edge; the only distinctive feature which could serve to identify her is her long, blond hair tied back in a pony-tail. She waits, holding a rolled magazine or some other similar

Cette oeuvre se compose d'un instantané et d'un titre qui sert de légende. On aperçoit sur la photo un groupe de gens alignés dans une pièce basse, au plafond à carreaux, et qui tournent le dos à la caméra. Deux personnes se détachent au premier plan. En bas, à gauche, apparaît en gros plan une femme, probablement cette 'Shirley' mentionnée dans le titre. L'une de ses épaules et la plus grande partie de son corps disparaît du champ de la photo; le seul trait distinctif qui pourrait servir à l'identifier serait sa longue chevelure blond attachée

item. Immediately in front of her in the line, occupying a strong, medium close-up position in the picture, stands a man wearing a dark-trimmed sleeveless sweatshirt. He is presumably the 'Clint Eastwood' mentioned in the title. A child's arm encircles his shoulder. The only visible attributes which could be used to identify this man are the shape of his neck and shoulders and the style of his hair-cut. The remaining figures in the line-up recede in the distance. Light shines on the scene from fixtures sunken in the ceiling and filters in from the right. It glistens on 'Shirley's' hair. Image and title have a double interaction in this work. On the one hand, they play each other off in order to limit the field of possible subject matter to the identity of the two main figures; on the other, they undermine each other to reveal their own fundamental inadequacy as documentary evidence, as tools for representing the facts. The viewer is asked to accept that the people shown are 'Shirley' and 'Clint Eastwood'. But an attempt to determine a content for these names and to verify that, in fact, the names apply, forces him or her to seek external corroborative information.

Personal names have little meaning outside their use to designate individual people, an activity which requires varying degrees of social convention and usually a context. Here the constraints placed upon the two people's names are noticeably different and raise distinct issues. 'Shirley' can be used to designate a relatively large number of people who bear that name. The questions raised by its use are more in the order of 'Who is THIS Shirley?' and 'Why has she been chosen as a center of interest?' than 'Is this really a person named Shirley?' In the case of 'Clint Eastwood', the name of a well-known movie star, the questions are less concerned with the interest of the person named than with correct attribution: 'Is this REALLY Clint Eastwood?'

The context provided by the snapshot and the verbal indications of geopolitical location and date provide little help in answering these questions. Presence in a concrete situation assists recognition and understanding because the flow of events in given surroundings provides a sense of orientation and, in particular, permits alternate viewpoints to be chosen in order to build up information – complementing what has already been acquired, filling up gaps in knowledge. The photograph, however, provides only one, partial view of the appearances of a situation. It is difficult, for example, to determine exactly where the people are located and why they are waiting in line. In regard to the apparent subject matter, the image excludes most of the features on which personal identification is based. Given only a partial representation of a state of affairs, a

momentary conjuncture now irretrievably past, a situation displayed with no explicit 'before' or 'after', the viewer cannot accomplish the task of identification without turning to the artist and trusting him as a truthful witness.

The artist CLAIMS that this picture was taken while travelling on a ferry to Newfoundland in 1973 with his wife Shirley. He noticed that a man standing ahead of Shirley looked very much like Clint Eastwood. He photographed what he saw. He attributed names to the appearances. ●

combler certaines lacunes dans nos connaissances. Toutefois, cette photographie ne nous fournit qu'une vue partielle de ce que la situation paraît être. Il est difficile, par exemple, de déterminer exactement où se trouvent les gens et la raison pour laquelle ils font la queue. Pour ce qui est du sujet apparemment traité, l'image ne montre pas la plupart des traits qui permettent une identification personnelle. La photographie ne représente que partiellement un état de choses, une conjoncture temporaire maintenant irrémédiablement passée, une situation présentée sans antériorité ni postériorité; il est donc impossible, pour le spectateur, de procéder à l'identification avant d'avoir consulté l'artiste qu'il doit considérer comme un témoin digne de confiance.

L'artiste prétend que cette photographie a été prise en 1973, à bord d'un traversier, alors qu'il se rendait à Terre-Neuve avec sa femme Shirley. Il remarqua qu'il y avait devant Shirley un homme qui ressemblait fort à Clint Eastwood. Il photographia ce qu'il avait sous les yeux. Il attribua des noms à ce qu'il y avait sur la photo. ●

Mosport June 1970 (Richard Petty)

Black and white photograph   1970
Print size: 40.6 x 50.8cm
Robin Collyer/Carmen Lamanna Gallery

Mosport juin 1970 (Richard Petty)

Photographie en noir et blanc   1970
Format de l'épreuve: 40.6 x 50.8cm
Robin Collyer/Carmen Lamanna Gallery

This work, similar in bearing to SHIRLEY AND CLINT EASTWOOD (cat. no. 7), draws particular attention to what can be called the viewer's 'horizon of meaning' and reveals particular weaknesses of the photograph as an independent vehicle of content.

A road cuts through the image, dividing the picture into three roughly horizontal bands. Dark underbrush fills the background; lighter scrub and dry grass occupy the foreground. Details in both areas are partially obliterated by the streaky blurs which result from moving the camera while exposing the film. On the bright, reflective surface of the road, a solitary car with a large '16' painted on the side seems to speed from right to left as if in a banking turn, casting a deep shadow. The car seems to be on the wrong side of the road; the driver can barely be distinguished as a fleck of light appearing within the vehicle's shaded interior. Almost devoid of singularizing details, the picture looks as if it could have been taken almost anywhere in the countryside. The generality of the image is counteracted by the title which indicates a specific location, MOSPORT, and attributes a name, RICHARD PETTY, to the almost invisible driver. But what becomes evident through this indication of referents is that, even if the image is accessible to everyone, its horizon of meaning, the background necessary for the viewer to understand what it is about, is not.

Take, for example, those of us for whom the names used in the title are mere labels, words which are empty of meaning because they refer to an unknown place and person. They convey little to us except the fact that they are indeed names and, being used, SHOULD have referents. More positively,

Cette oeuvre, d'allure semblable à SHIRLEY ET CLINT EASTWOOD (no 7 du cat.), attire particulièrement l'attention sur ce qu'on pourrait appeler l'"horizon de signification' du spectateur et révèle les faiblesses particulières de la photographie en tant que moyen d'expression indépendant.

Une route traverse l'image, séparant la photo en trois bandes à peu près horizontales. Des broussailles sombres couvrent l'arrière-plan tandis qu'une végétation plus claire, faite d'herbes sèches, occupe le premier plan. Dans les deux sections, les détails se trouvent partiellement effacés par les rayures floues qui se produisent lorsque la caméra se déplace pendant que le film est exposé. Sur la surface luisante de la route, une automobile solitaire, portant le numéro 16 écrit en chiffres géants sur le côté, semble foncer à vive allure vers la gauche, comme dans un virage relevé, projetant une ombre dense. L'automobile semble se trouver du mauvais côté de la route; c'est à peine si l'on peut distinguer la forme claire du conducteur dans l'intérieur sombre du véhicule. La photo est tellement dépourvue de détails distinctifs qu'elle pourrait avoir été prise presque n'importe où à la campagne.

La spécificité du titre contredit la généralité de l'image en précisant le lieu, MOSPORT, et en attribuant un nom, Richard Petty, au conducteur presque invisible. Mais il devient évident, malgré l'indication de ces référents, que même si l'image est accessible à tous les spectateurs, son horizon de signification, c'est-à-dire la documentation nécessaire à la compréhension de l'oeuvre, ne l'est pas.

Prenons par exemple le cas de ceux d'entre nous pour qui les noms utilisés dans le titre ne sont que des étiquettes, des mots dépourvus de sens, parce qu'ils font allusion à un endroit et à une personne inconnus. Ils ne nous disent rien sinon qu'ils sont effectivement des noms et que, puisqu'ils sont utilisés, ils DEVRAIENT avoir des référents. Plus précisément, ils évoquent l'existence d'un sujet qui se situe au-delà de notre expérience et de notre information actuelles. Si banale que soit l'image, sa

they suggest the existence of subject matter lying outside our present experience and information. Banal though the image might be, its meaning eludes our grasp. To remedy this situation, we are asked to make an effort to seek out the referents, to isolate what is pertinent about them, to estimate their importance, to trace out associations. We do more than simply find information, we construct personal horizons of meaning for the work.

There are, of course, people for whom an horizon is immediately evoked because the names in the title function as explicit references, words which single out not only a place and a person, but also conjure up a whole network of kindred things, practices and values. However, no matter how we establish the horizon of meaning, we are still left to grapple with the question of belief – about whether or not the names used in the title have been attributed truthfully.

The Mosport racetrack is situated about ten miles north of Bowmanville, Ontario, a town which itself is about thirty miles east of Toronto on the 401. Richard Petty is the name of an American stock-car driver thought of as a hero by his fans and is always associated with car No. 43. Petty drove car No. 16 at Mosport in June, 1970. In the work discussed here,

signification nous échappe. Pour remédier à la situation, on nous demande de chercher à connaître les référents, d'en faire ressortir les éléments pertinents, d'évaluer leur importance, d'établir des rapports entre eux. Nous faisons plus que simplement recueillir de l'information, nous construisons un horizon de signification applicable à l'oeuvre. Bien sûr, il y a des gens pour qui cette photo évoque tout de suite un horizon particulier parce que les noms du titre constituent des références explicites, c'est-à-dire des mots qui non seulement désignent avec précision l'endroit et la personne mais leur rappellent aussi tout un ensemble de choses, de pratiques et de valeurs. Toutefois, quelle que soit la façon dont nous établissons cet horizon de signification, il nous reste encore à résoudre la question de la confiance – à savoir, si les noms utilisés dans le titre sont véridiques.

La piste de courses de Mosport se trouve à environ dix milles au nord de Bowmanville (Ontario), petite ville elle-même située à environ trente milles à l'est de Toronto, près de la route 401. Richard Petty est un conducteur de stock-car américain considéré comme un héros par ses admirateurs; son nom est toujours associé à la

the artist uses the title to claim publicly that the accompanying photograph shows Petty actually driving the car on the Mosport racetrack.

This work, in order to function, requires that the artist make claims and that we weigh our trust; in so doing, to reveals its own insufficiency as an autonomous or independent vehicle of content. From the viewer's position, we have a problem of verification. There is no way to be certain of the facts by limiting ourselves to the work alone; either we must take the title at face value or we must turn to the artist for contextual information, trusting that he will give us a plausible, truthful explanation.

In private conversation the artist points out that what interests him about photographs is not so much that they can 'capture' or 'freeze' a special moment, but that they contain SO MUCH LESS than the situation they portray. The photograph decidedly does not 'cover' the event and remains dependent upon memory.   ●

voiture no 43. En juin 1970, à Mosport, Petty conduisait la voiture no 16. Dans l'oeuvre qui nous préoccupe, l'artiste utilise le titre pour affirmer publiquement que la photographie qui l'accompagne montre Petty en train de conduire la voiture sur la piste de Mosport.

Pour que cette oeuvre ait un sens, elle doit s'accompagner des affirmations de l'artiste et mettre notre confiance à l'épreuve; ce faisant, elle révèle sa propre insuffisance en tant que moyen d'expression autonome ou indépendant. Du point de vue du spectateur, il y a un problème de vérification. Il est impossible de s'assurer de l'authenticité des faits en ne considérant que l'oeuvre seule; nous devons soit nous fier aux apparences, soit nous en remettre à l'artiste pour un complément d'information, avec l'espoir qu'il nous fournira une explication plausible et véridique.

Lors d'une conversation privée, l'artiste signale que ce qui l'intéresse dans les photographies, ce n'est pas tant leur aptitude à 'saisir' ou à 'immobiliser' un moment spécial, mais le fait qu'elles renferment TELLEMENT MOINS d'éléments que la situation qu'elles représentent. Il est certain qu'une photographie n''embrasse' pas la totalité d'un événement; elle n'est qu'un aide-mémoire.   ●

9

Untitled No. 1

Black and white photograph, Letraset lettering   1975
Print size: 49.5 x 49.5cm
Robin Collyer/Carmen Lamanna Gallery

Sans Titre No. 1

Photographie en noir et blanc, caractères Letraset   1975
Format de l'épreuve: 49.5 x 49.5cm
Robin Collyer/Carmen Lamanna Gallery

The explicit concern of UNTITLED NO. 1 is the influence that captions exert upon the interpretation of photographic images.

The slightly fuzzy picture shows an ordinary street scene; two men, one black and one white, are seen from the front in a medium close-up view as they walk by the camera. Their faces have the blank, neutral expressions of people preoccupied with their own thoughts. A larger group of people comes towards the camera from the middle ground. Buildings recede towards an area of open sky in the background, creating a strong effect of linear perspective.

In this work, the roles of title and caption are distinguished. The function assigned to the title is to serve as a label which indicates the position of this piece in a larger sequence of works; it does not inform about the subject matter presented by the image nor does it dispose the viewer to seek meaning in a certain direction. The caption, a device used in newspapers and magazines, and having a particular affinity with advertising, focuses the viewer's attention on the problem of meaning: 'One

SANS TITRE NO. 1 s'intéresse de façon explicite à l'influence exercée par les légendes sur l'interprétation des images photographiques. La photo, qui est un peu floue, représente une scène de rue bien ordinaire; on aperçoit de face deux hommes, l'un noir et l'autre blanc, en plan rapproché, alors qu'ils passent près de l'appareil. Ils ont le visage sans expression des gens perdus dans leurs propres pensées. Au second plan, un groupe de personnes se dirige vers l'appareil. Les édifices s'éloignent vers le ciel clair à l'arrière-plan, ce qui crée un effet saisissant de perspective linéaire.

Dans cet oeuvre, on distingue le rôle du titre de celui de la légende. Le rôle attribué au titre est celui d'une étiquette qui situe cette pièce dans une série plus vaste; il n'apporte aucun renseignement sur le sujet présenté par l'image et n'incite pas le spectateur à orienter ses recherches dans un sens ou dans l'autre. La légende, un procédé utilisé dans les journaux et les périodiques et qui a une affinité particulière pour la publicité, attire l'attention du spectateur sur le problème de la signification: 'On doit avoir le courage de dire que nous n'avons rien à

must have the courage to say that we have nothing to say about these faces unless there is a caption with some nonsense or lie that we can follow'.

The text of the caption raises a peculiar logical problem of the type found in utterances such as: 'I never tell the truth', or 'I always tell lies'. The terms used are clear, the grammatical form is correct, but the judgement expressed is self-contradictory. This logical bind calls for a measured response, one based on a clear assessment of what we are dealing with when we pursue meaning in a captioned image.

Wah Wah

In publishing and advertising, captions are usually carefully co-ordinated with images so that their relationship can be grasped quickly and with little hesitation. This co-ordination involves the literal characteristics of the components as well as their subject matter. The caption is located in a reserved space or, if it is over-printed, it is usually placed in such a way that it remains easily legible and does not obscure essential features of the picture. It generally focuses on or reinforces some aspect of the image, orienting the reader's approach. In turn, the image seems to embody the concerns and values present in the text. That this co-ordination constitutes a determination of only one of many possibilities inherent in the image is not ordinarily noticed. This commonplace use of text-image components is taken for granted; they seem so easy to understand that their substance and their manipulation become as it were transparent. The reader sees THROUGH them to their meaning which appears to be a given, self-evident truth.

While using the same means, UNTITLED NO. 1 takes steps to cloud the effect of transparency just enough to remind us of the responsibility involved both in the production and in the reception of

dire au sujet de ces visages, à moins de pouvoir suivre les indications de quelque légende absurde ou trompeuse.'

Le texte de la légende soulève un curieux problème de logique, similaire à celui que posent des propos tels que 'Je ne dis jamais la vérité' ou 'Je dis toujours des mensonges'. Les termes utilisés sont clairs, la forme grammaticale est correcte mais le jugement exprimé se contredit. Cette impasse d'ordre logique exige une réponse prudente, basée sur une évaluation exacte des facteurs qui sont en jeu lorsque nous cherchons à comprendre une image accompagnée d'une légende.

Dans le domaine de l'édition et de la publicité, on veille à agencer soigneusement l'image et la légende afin que l'on saisisse rapidement et sans trop d'hésitation le rapport qui existe entre les deux. Cette coordination tient compte des caractéristiques littérales des pièces composantes aussi bien que du sujet traité. La légende est située dans un espace réservé ou, s'il y a surimpression, elle est habituellement assez bien placée pour demeurer lisible et ne pas masquer les traits principaux de la photo. Généralement, elle souligne ou intensifie un certain aspect de l'image de façon à influencer le jugement du lecteur. L'image, à son tour, semble concrétiser les préoccupations et les valeurs présentées dans le texte. Ce qui passe habituellement inaperçu, c'est que cette coordination ne détermine qu'une seule des possibilités inhérentes à l'image. Cet emploi courant des combinaisons textes-images est tenu pour acquis; elles semblent si faciles à comprendre que leur substance et leur manipulation deviennent pour ainsi dire transparentes. Le lecteur PERÇOIT ces données et leur signification lui apparaît comme une vérité incontestable et évidente.

Tout en utilisant le même moyen d'expression, SANS TITRE NO. 1 fait en sorte que cette transparence soit suffisamment troublée pour nous rappeler que nous avons une responsabilité à assumer concernant la production aussi bien que la réception des images avec légendes. L'aspect flou de l'épreuve attire l'attention sur le rôle du photographe dans la production de l'image – pourquoi n'a-t-il pas vérifié sa mise au point pour mieux faire voir les détails? – et par la même occasion, cela nous permet de mettre en doute notre propre réception de l'image. La légende comporte deux lignes imprimées en caractères Letraset; elle occupe la partie supérieure de l'image, aussi bien dans ses zones sombres que dans ses zones claires. Certains mots sont plus

ve the courage to say that we hav
here is a caption with some nonse

captioned images. The image, a bit blurry, calls attention to the photographer's productive role – why didn't he sharpen the focus so more details would show? – and by the same token allows us to question our reception of the subject matter. The caption, two lines of Letraset text, runs across the top of the image, superimposed on both light and dark areas. Some words are more difficult to read than others. The text sits on the surface of the picture in clear contrast to the strong perspective of the image, marking out the work's literal limits and revealing the material nature of the text-image composition. It is when we attempt to discover a meaningful tie-in between the text and image that it becomes necessary to discriminate between the subject matter, the procedures of production and reception, and the content of the work.

The only referential bond between the text and the image is that of the faces mentioned by one and shown by the other. The text directs attention to the faces, leaving out all other elements of the image except, perhaps, for the succession of people involved in a weak pun using the word 'follow'. Whatever the case may be, the text clearly exploits the faces, minimizing their roles in the image by treating them as a means to its own end – the formulation of a logically strange proposition. There is indeed a noticeable shift of subject matter from the faces to 'one's' or 'our' possibility of saying something meaningful ABOUT the faces.

The text asserts that we are dependent upon a caption to find meaning, then casts serious doubt upon the validity or veracity of captions in general. What is more, this text is not simply a text, it adopts the literal form and the function of a caption, the very procedural device about which it speaks. On the one hand, if what the text says is true, then we shouldn't believe it. On the other, how can it be true when it claims not to say but TO BE nonsense or a lie? The situation is clarified, but not resolved, when we notice that the text is reflexive, using the difference between WHAT is said (the subject matter) and HOW it is said (the literal characteristics of the work) to raise the issue of the truth value involved in the production and reception of text AS A CAPTION.

If we understand 'content' to refer not just to subject matter but subject matter as it is effectively presented and conditioned by procedures of production and reception, then the content of this work lies in how we respond to the logical impasse created by subject matter which doubts the validity or veracity of its own presentation. Caught in this impasse with our belief suspended, our desire to make sense of the work is frustrated and our trust in the face value of captioned images is challenged. From there on, how we handle belief in the news media and advertising is up to us. ●

difficiles à lire que d'autres. Le texte se trouve à la surface de la photo et contraste vivement avec la vigoureuse perspective de l'image; ce faisant, il détermine les limites littérales de l'ouvrage et dévoile la nature matérielle de la composition texte-image. C'est au moment où nous cherchons à découvrir un lien significatif entre le texte et l'image qu'il nous faut commercer à établir une distinction entre le sujet, les processus de production et de réception et le contenu de l'oeuvre.

Le texte et l'image n'ont pour dénominateur commun que les visages, qui sont mentionnés dans l'un et illustrés dans l'autre. Le texte dirige notre attention vers les visages et laisse de côté tous les autres éléments de l'image, sauf peut-être pour ce qui est de la file de gens auquel on fait allusion en jouant mollement sur le mot 'suivre'. Quoi qu'il en soit, le texte exploite nettement les visages et minimise le rôle qu'ils jouent dans l'image en les utilisant pour atteindre ses propres fins, soit la formulation d'une proposition étrange du point de vue logique. Il y a en effet une différence de thème assez importante entre les visages EUX-MÊMES et les remarques qui peuvent être faites À LEUR SUJET par ce 'on' ou ce 'nous'.

Le texte soutient que nous comptons sur la légende pour comprendre le sens d'une image, puis met sérieusement en doute la validité ou la véracité des légendes en général. Qui plus est, ce texte n'est pas simplement un texte, mais il adopte la forme littérale et la fonction d'une légende, c'est-à-dire du procédé même dont il parle. D'une part, si ce que le texte avance est vrai, alors nous ne devrions pas y prêter foi. D'autre part, comment pourrait-il être véridique alors qu'il prétend non pas dire mais ÊTRE quelque chose d'absurde ou de trompeur? La situation est plus claire mais le problème n'est pas résolu car on s'aperçoit que le texte fait un retour sur lui-même et utilise la différence entre la CHOSE dite (le sujet) et la FAÇON dont elle est dite (les caractéristiques littérales de l'oeuvre) pour soulever la question de la véracité nécessaire à la production et à la réception du texte EN TANT QUE LÉGENDE.

Si le mot 'contenu' ne désigne pas simplement le sujet proposé, mais ce sujet en fonction de ses conditions de production et de réception, alors le contenu de cette oeuvre réside dans la façon dont nous réagissons devant l'impasse logique créée par un sujet qui doute de la validité ou de la véracité de sa propre présentation. Coincés dans une impasse sans trop savoir que croire, nous nous sentons frustrés de ne pouvoir donner un sens à cette oeuvre alors qu'est remise en question notre confiance en la valeur apparente des images avec légendes. Dorénavant, c'est à nous qu'il appartient de porter un jugement sur les organes d'information et la publicité. ●

10

Untitled No. 4

Black and white photograph, Letraset lettering   1975
Print size: 49.5 x 49.5cm
Robin Collyer/Carmen Lamanna Gallery

Sans Titre no. 4

Photographie en noir et blanc, caractères Letraset   1975
Format de l'épreuve: 49.5 x 49.5cm
Robin Collyer/Carmen Lamanna Gallery

In this work the association of caption and image, though ambiguous, orients and frames the general sense of the work, circumscribing a territory of possible meanings. This territory, limited in scope but open to interpretation, is the work's semantic field.

The photograph is a black and white picture, square in format, of a glass-fronted office building. Taken after dark, the image reveals three illuminated floors inside the building; reflections of

Dans cette pièce, l'association de la légende et de l'image, si ambiguë soit-elle, oriente et définit le sens général de l'oeuvre, délimitant ainsi le domaine des significations possibles. Ce domaine, limité en étendue mais ouvert à interprétation, correspond au champ sémantique de l'oeuvre.

La photographie en noir et blanc, de format carré, représente un immeuble à bureaux à façade vitrée. Il fait nuit; à l'intérieur de l'édifice, trois étages sont éclairés. Des enseignes lumineuses, des lumières de

electric signs and scalloped strings of festive lights play off the glass surface and the twin metal bands of the façade. It is the Christmas season; a decorated tree stands on each of the floors and draped tinsel echoes the mirrored street lights. Nothing of great consequence appears to be happening. A woman stands by a doorway on the lower floor, seeming to converse with someone inside a small room or perhaps just waiting to use the phone; a stairway leads to the middle floor where there is nobody to use the carefully appointed furniture; on the upper floor, a woman works at a desk, a man stands in a doorway with his arms propped against the frame, and two people, seated at opposite sides of a desk, are absorbed in a discussion of some sort. Near the upper right-hand corner of the photograph, a text printed in Letraset reads: 'Work expands so to fill the time available for its completion.'

Here, the referential or documentary potential of the photographic medium is exploited: the definition of the image is sharp, the details are clear, the contrast of dark and light appears more as an intrinsic component of the scene than as the product of technical manipulation. There is no obvious grain, no fuzziness, no trace of special processing that could draw attention to the surface of the picture. The medium is transparent, seemingly at the service of the scene it records and presents. It is this, the figurative scene itself, that assumes a reflexive value – 'pointing back to', 'refering back to' or 'indexing' the procedures by which it was produced.

The floors of the building combine visually with the vertical metal bands of the façade to suggest a grid, a regular pattern which, while dividing the view into regular segments, stresses the organizing and limiting functions of the literal edges of the image. There is also a visual and functional parallel between the glass front of the building and the glossy surface of the photograph: both permit the viewer to see THROUGH a surface which combines transparency and reflectiveness. As the interior of the building is to its glass façade, so the pictorial plane of the photograph is to its literal conditions of existence. And finally, the aspect under which the subject matter is seen, when formulated in terms of involvement, distance and angle of view, indexes the act of photographic appropriation of the scene. The photographer's involvement is that of an external, disinterested observer; he does not locate himself within the scene nor does he seem to interfere with what is taking place. His viewpoint, slightly above and dominating the subject matter, is distant enough to permit a kind of topological vision which encompasses and juxtaposes unrelated incidents.

The caption introduces a linguistic dimension to

Noël en guirlandes festonnées se reflètent sur la surface vitrée et sur les deux bandes métalliques de la façade. C'est la période des Fêtes; un sapin décoré se dresse sur chaque étage tandis que des franges de 'glaçons' répètent le miroitement des lumières de la rue. Il ne se produit rien d'important, semble-t-il. Il y a une femme debout près de l'entrée du rez-de-chaussée; elle semble converser avec quelqu'un qui se trouve à l'intérieur d'une petite pièce, ou peut-être attend-elle simplement de pouvoir utiliser le téléphone. Un escalier conduit au premier étage où il n'y a personne pour utiliser un moblier soigneusement disposé; à l'étage supérieur, une femme travaille, assise à son bureau, tandis qu'un homme se tient debout dans l'encadrement de la porte, le bras appuyé au chambranle, et que deux personnes, assises de chaque côté d'un pupitre, sont absorbées dans une discussion quelconque. Près du coin supérieur droit de la photographie, on peut lire ce texte imprimé en Letraset: 'La durée d'exécution d'un travail se prolongera de façon à occuper tout le temps disponible à cette fin.'

On exploite ici tout le potentiel du procédé photographique, tant comme moyen de référence que comme source de documentation: l'image est nette, les détails sont clairs, le contraste de l'ombre et de la lumière semble être plutôt un élément intrinsèque de la scène que le résultat d'un manipulation technique. L'image n'est ni grenue ni floue et ne paraît pas avoir subi de traitement spécial qui pourrait attirer l'attention sur la surface de la photo. Le procédé est transparent et semble se mettre au service de la scène qu'il enregistre et présente. C'est justement l'aspect figuratif de cette scène qui prend une fonction réflexive, celle de la mise en évidence des procédés qui ont abouti; à la réalisation de la photo.

Les étages de l'édifice se combinent aux bandes métalliques verticales de la façade pour former un ensemble visuel qui évoque un grillage, un arrangement ordonné qui, tout en divisant la scène en segments réguliers, insiste sur les fonctions d'organisation et de restriction des rebords littéraux de l'image. Il y a aussi un parallélisme de forme et de fonction entre la façade vitrée de l'édifice et la surface luisante de la photographie: elles permettent toutes les deux au spectateur de voir À TRAVERS une surface qui allie la reflexibilité à la transparence. L'intérieur de l'édifice est à sa façade vitrée ce que le plan pictural est à ses conditions littérales d'existence. Quant à l'aspect sous lequel le sujet est présenté, si on le considère en termes de participation, de distance et d'angle de vision, il nous apparaît comme un indice tangible de l'appropriation photographique de la scène. La participation du photographe est celle d'un observateur objectif et désintéressé; il ne se situe pas à l'intérieur de la scène et

the work which transforms and orients the way the picture can generate meaning. The image, in return, provides the text with a spatial and temporal context and a situational quality. The image/text relationship is effected through a slight confusion of attribution. The Letraset lies flat and opaque on the surface of the picture, contradicting by its materiality the transparent treatment of the photographic medium while supplying a linguistic message. However, it is placed so that it lies over an area occupied by a plain, light coloured wall in the pictorial space. The question arises as to whether the text should be treated as if it were printed on the wall and therefore belonging to the pictorial space, or whether it should be seen as an adjunct to the literal plane of the picture, as an element of a composition, and therefore be interpreted as an artist's comment, as something belonging to his process of expression. Although the question is easily answered, there is just enough ambiguity of placement to suggest that the text is aimed at orienting the subject matter of the image as well as indexing the artist's productive activity.

The temporal structure of UNTITLED NO. 4 arises from the interplay between the past instant recorded by the photograph, the trans-historical present expressed in the text, and the actual present of the viewer's reception of the work. The various parts of the image are bound together by the unity of one photographic act and clearly belong to the same past instant. Although there are indications that this instant belongs to the Christmas season, it is not precisely located within this duration. The same is true about the time of day: it is without doubt evening, but no exact moment is indicated. The picture provides a temporal frame but eliminates the flow of time, the passage from moment to moment, and thereby excludes the possibility of a NARRATIVE organization of the subject matter. It describes a state of affairs.

The work is, of course, right on the edge of storytelling. The frozen gestures of the people, their positions and postures, while avoiding the dramatic, tend to suggest that something, no matter how unimportant, is going on in the relatively still and vacant building. Very little imagination and deductive power are needed to supply information about some past or future happening which would seem to be all that is needed to change this description of a scene into a narrative. The Letraset text is crucial here. Announcing a general law which can be applied to the image, it assists the viewer by providing a loosely circumscribed semantic field (the action of working and its associations) and a casual schema (the expansion of work provoked by available time). But this contribution falls short of

n'intervient pas non plus dans ce qui s'y passe. Son point de vue, qu s'élève légèrement au dessus et domine le sujet, est assez distant pour permettre une sorte de vision topologique qui englobe et juxtapose des incidents sans rapport entre eux.

La légende ajoute à l'oeuvre une dimension linguistique qui transforme et oriente la façon dont la photo peut produire une signification. L'image, à son tour, fournit au texte un contexte spatial et temporel ainsi qu'une représentation factuelle. La relation image/texte s'établit par suite d'une légère confusion dans les attributions. Le texte apparaît en caractères opaques à la surface de la photo, offrant ainsi un contraste frappant entre la matérialité de l'écriture et la transparence inhérente à l'application du procédé photographique, tout en permettant au spectateur d'avoir accès à l'oeuvre par une autre voie, celle de l'expression linguistique. Toutefois, le texte a été délibérément placé dans une zone pâle de l'espace pictural, soit un mur dépourvu de tout ornement. La question est de savoir si le texte devrait être traité comme une impression faite sur le mur même, donc une pièce composante de l'espace pictural, ou si l'on devrait le considérer comme une addition à la surface littérale de l'image, c'est-à-dire un élément de la composition photographique, et, par conséquent, l'interpréter comme un commentaire de l'artiste, comme une partie intégrante du processus d'expression. Même si l'on peut facilement répondre à cette question, il reste suffisamment d'ambiguïté pour suggérer que le texte vise à orienter le sujet de l'image aussi bien qu'à témoigner de l'activité productrice de l'artiste.

La structure temporelle de SANS TITRE NO naît de l'interaction entre l'instant passé enregistré par la photographie, le présent transhistorique exprimé dans le texte et le présent réel vécu par le spectateur devant l'oeuvre. Les diverses parties de l'image se fondent en une seule entité par la vertu d'un acte photographique unique et indiquent clairement leur appartenance au même instant passé. Même s'il y a tout lieu de croire que cet instant fait partie du temps de Noël, on n'en connaît pas la date précise. Il en va de même pour l'heure de la journée: il s'agit certainement de la soirée, mais on ne fait pas mention du moment exact. La photo nous procure un système de références temporelles mais elle fige l'écoulement du temps, le passage d'un moment à l'autre, excluant par le fait même la possibilité d'une NARRATION du sujet. Elle DÉCRIT un état de choses.

Cette photo est malgré tout sur le point de nous raconter une histoire. Les gestes figés des personnages, leur position et leur posture, sans être dramatiques, semblent suggérer qu'il se passe quelque chose, si banal que ce soit, dans cet édifice plutôt tranquille et vide. Point n'est besoin d'avoir

actually telling a story because it lacks an explicitly marked temporal progression. The viewer can bridge the gap between the generality of the text and the singularity of the image only through an interpretative process which actualizes the work in the present as personally determined content. ●

beaucoup d'imagination ou de puissance de déduction pour attribuer à ces gens les antécédents et un futur fictifs, et c'est là tout ce qu'il faudrait pour changer la description de cette scène en une narration. Le texte en Letraset est crucial ici. Alors qu'il annonce une loi générale qui peut s'appliquer à l'image, il vient en aide au spectateur en lui offrant un champ sémantique assez vaguement circonscrit (l'action de travailler et tout ce que cela évoque) et un schème causal (la durée du travail en fonction du temps prévu pour son achèvement). Malgré cet apport, l'oeuvre n'arrive pas à raconter une histoire parce qu'il lui manque un sens défini de la progression temporelle.

Le spectateur ne peut combler l'écart entre la généralité du texte et la singularité de l'image qu'en se livrant à une interprétation qui actualise l'oeuvre en tant que contenu personnellement déterminé par lui dans le présent. ●

11

Untitled No. 3
Black and white photograph, Letraset lettering   1975
Print size: 49.5 x 49.5cm
Robin Collyer/Carmen Lamanna Gallery

Sans Titre no. 3
Photographie en noir et blanc, caractéres Letraset   1975
Format de l'épreuve: 49.5 x 49.5cm
Robin Collyer/Carmen Lamanna Gallery

Both the image and the caption of UNTITLED NO. 3 center on the same notion, that of the strong upward movement common to skyscrapers and current prices.

Across the centre of a photograph of two high-rise apartment towers, we read: 'Housing prices have skyrocketed astronomically'. Functioning as an armature for the work, the notion of 'rising' permits the image to act as a metaphor for the text and allows the text to single out what is pertinent in the

L'image et la légende de SANS TITRE NO. 3 développent toutes deux la même idée, celle de la forte tendance qu'ont et les gratte-ciel et les prix actuels à être toujours plus élevés.

Nous pouvons lire, au centre d'une photographie représentant deux gratte-ciel à appartement: 'Le coût du logement a atteint des proportions astronomiques'. La notion d' 'élévation', qui sert d'armature à l'oeuvre, permet à l'image de reproduire métaphoriquement le texte et au texte de

46

image. The work's semantic field is produced by the short-cut taken between two related but distinct concerns of architecture – design and economics.

In UNTITLED NO. 3, a subtle but important shift takes place, moving the work from an apparently factual presentation of a state of affairs to the insinuation of a value judgement, from declaration to exhortation. The two high-rise buildings have been photographed from a low viewpoint; their corners and the alternating dark and light vertical bands of facing materials form strong lines which converge towards a vanishing point located high above the top of the picture. The buildings rise up and away from us as if eluding our grasp. Reinforcing this impression, a strong, active, and highly emotive expression 'skyrocketed astronomically', is used, instead of some neutral, business-like term. Like a rocket blasting upwards from the launching pad, leaving the earth far below, so violently rising prices leave the buyer far behind. Though we are free to come to our own conclusions, the work inclines us to disapprove of escalating prices. ●

faire ressortir les éléments pertinents de l'image. Le champ sémantique naît du traitement simultané de deux questions connexes mais distinctes, soit les tendances architecturales et l'économie.

Dans SANS TITRE NO 3, on assiste à un glissement subtil mais important: ce que l'on prend d'abord pour une simple présentation factuelle d'un état de choses se transforme imperceptiblement en jugement de valeur, passant ainsi de la déclaration à l'exhortation. Les deux immeubles élevés ont été photographiés en contre-plongée; leurs coins ainsi que les bandes verticales tour à tour pâles et foncées des matériaux visibles forment un puissant faisceau de lignes qui convergent vers un point de fuite situé bien au-delà de la photo. Les édifices s'élèvent et s'éloignent de nous, comme pour échapper à notre emprise. Pour confirmer cette impression, on utilise, plutôt qu'un terme pratique ou neutre, un mot évocateur, qui fait image: 'astronomique'. Comme une fusée qui s'élance vers les astres, laissant la Terre loin derrière elle, ainsi la montée vertigineuse des prix laisse-t-elle le consommateur seul avec lui-même. Il est vrai que nous sommes libres de tirer nos propres conclusions, mais cette oeuvre nous porte évidemment à condamner l'escalade des prix. ●

12

Untitled No. 2

Black and white photograph, Letraset lettering   1975
Print size: 49.5 x 49.5cm
Robin Collyer/Carmen Lamanna Gallery

Sans Titre no. 2

Photographie en noir et blanc, caractères Letraset   1975
Format de l'épreuve: 49.5 x 49.5cm
Robin Collyer/Carmen Lamanna Gallery

Decent people don't want this kind of business operating.

Alone, a figure dressed in dark pants, an overcoat and a light coloured tuque passes by 'Pleasure Land', almost reaching the entrance of the 'Venus' nude photography and body-rub shop. It is difficult to be sure that the figure is that of a man. The person's carriage and placement cannot be interpreted without some ambiguity. Has he (or she) just left 'Pleasure Land' which so blatantly extends its welcome to adults only? Is he (or she) just about to turn into the neighbouring premises, the 'Venus', open seven days a week from noon to 3 a.m., for the customer's convenience? Or is he (or she), embarrassed at the idea of being found anywhere near such places, scurring by as unobtrusively as possible? Or is it not possible that he (or she) hasn't noticed the solicitations at all, and is simply walking down the street? The picture shows us just one instant of an on-going action – we see the scene too late to know what happened before and too early to know what will happen afterwards. And the caption doesn't help us resolve the ambiguity by answering our questions. What it does do is to exploit the image and our questions in an attempt to obtain a critical response to a generalized moral judgement: 'Decent people don't want this kind of business operating'.

In UNTITLED NO. 2, the gap between the general principle stated by the caption and the concrete but ambiguous situation portrayed by the image works

Une personne seule, portant des pantalons foncés, un paletot et une tuque de couleur pâle, déambule près du 'Paradis du plaisir', à deux pas de l'entrée du salon de massage et de photographie de nus 'Vénus'. On ne peut savoir avec certitude s'il s'agit d'un homme. Le comportement de cette personne, de même que sa situation, ne peuvent être interprétés sans une certaine ambiguïté. Est-ce qu'il (ou elle) vient de quitter le 'Paradis du plaisir', qui vise si ostensiblement une clientèle 'adulte'? Est-ce qu'il (ou elle) est sur le point d'entrer dans le local adjacent, le 'Vénus', ouvert sept jours sur sept, de midi à trois heures du matin, pour accommoder le client? Ou bien est-il (ou elle) embarrassé(e) à l'idée d'être vu(e) en pareil endroit et se hâte-t-il (ou elle) aussi discrètement que possible vers sa destination? Peut-être aussi qu'il (ou elle) est indifférent(e) à ces sollicitations et ne fait que marcher le long de la rue. La photo ne nous montre qu'un seul instant dans le déroulement d'une action – nous voyons la scène trop tard pour en connaître le début et trop tôt pour en savoir la suite. Et la légende, qui ne répond à aucune question, ne nous aide guère à résoudre cette ambiguïté. Elle ne fait qu'exploiter l'image et nos questions afin de nous obliger à examiner de façon critique un jugement général d'ordre moral: 'Les gens bien réprouvent l'exploitation de ce genre de commerce'.   Dans SANS TITRE NO 2, l'écart entre le principe général exprimé par la légende et la

in favor of moral deliberation and judgement. Like imperative moralizing, the work uses a process of identification and exclusion to involve us in its aim; unlike imperative moralizing, it gives us room to adopt a critical approach to the stated issue and to make up our own minds.

Whereas 'Pleasure Land' and the 'Venus' are clearly taken to be examples of a general category of offensive or reprehensible establishments, the figure in the picture could stand either for a socially approved group, 'decent people', the grammatical subject of the caption, or for an unmentioned but implied socially excluded group, 'indecent people'. The generality of the grammatical subject, activated by our inclination either to identify with or to adopt a critical distance from socially approved categories, makes it possible and desirable to assess whether we are among the 'decent people' or not.* The figure in the picture offers a test case. If we attempt to measure our behaviour against that of the figure, we can identify with what we think he (or she) is doing, reject his (or her) supposed actions, or remain puzzled about what is right. The point is: would we mind being caught hanging around such places? Will we march by, eyes averted, seething with outrage? Or, if we accept that it is all right, must we also accept that we are 'indecent'? Can we not imagine a social category which is neither 'decent' or 'indecent' but which adopts modes of behaviour based on different norms? By using the binary opposition 'decent-indecent', UNTITLED NO. 2 opens the way to doubting the validity of socially determined categories, one of the main vehicles of ideology.

You might wish to argue that UNTITLED NO. 2 would work just as well with only the store-front and the caption, leaving out the figure. Imagining that possibility, I would say that our identification with 'decent people' would be more immediate, but it would also raise fewer questions. Without the figure to use as a foil, the work would amount to a direct pronouncement of the so-called moral majority, a proposition which would solicit acquiesence rather than deliberation, and leave little place for a critical assessment of the proposed norm. Without the figure, UNTITLED NO. 2 would be an advertisement serving current ideology; with the figure it encourages the criticism of socially induced norms.　●

*

49

situation concrète mais ambiguë représentée par l'image nous incite à réfléchir et à porter un jugement moral. Comme toute oeuvre franchement moralisatrice, cette photo utilise le procédé d'identification et d'exclusion pour nous intéresser à ses objectifs, mais contrairement au moralisme classique, elle laisse notre culture influencer nos vues sur la question posée, ce qui nous permet de prendre nos propres décisions.

Alors que le 'Paradis du plaisir' et le 'Vénus' ont été choisis clairement pour représenter une catégorie générale d'établissements outrageants et répréhensibles, le personnage de la photo peut symboliser soit un groupe approuvé par la société, les 'gens bien', sujet grammatical de la légende, soit un groupe non mentionné mais sous-entendu, exclu par la société, les 'gens pas bien'. La généralité du sujet grammatical se trouve renforcée par cette double tendance, soit l'identification aux catégories approuvées par la société ou la distanciation critique d'avec celle-ci; c'est ce qui rend possible et même désirable une évaluation de notre position personnelle: sommes-nous, ou non, des 'gens bien'?* Le personnage de la photo nous est présenté comme un cas type. Si nous tentons de comparer notre comportement à celui du personnage, nous pouvons nous identifier à ce que nous pensons qu'il (ou elle) fait, rejeter les actions qu'on lui prête ou continuer de nous demander où est la vérité. Toute la question est là: serions-nous gênés si l'on nous suprenait à fréquenter de pareils endroits? Marcherions-nous sur ce trottoir en détournant les yeux et en contenant à peine notre colère? Ou bien, si nous approuvons cet état de choses, devons-nous reconnaître que nous sommes des 'gens pas biens'? Ne pouvons-nous pas imaginer une catégorie sociale qui ne soit ni 'bien' ni 'pas bien' mais qui adopte des modes de comportement fondés sur des normes différentes? En utilisant l'opposition binaire 'bien-pas bien', SANS TITRE NO 2 nous invite à douter de la validité des catégories déterminées par la société, catégories qui sont un des véhicules principaux de toute idéologie.

Vous seriez peut-être tenté de répondre que SANS TITRE NO. 2 serait tout aussi efficace s'il ne montrait que la façade des établissements et la légende, sans mettre personne en scène. Si tel était le cas, je dirais que notre identification avec les 'gens bien' serait plus immédiate mais que l'oeuvre soulèverait alors moins de questions. Sans ce personnage qui sert de repoussoir, l'oeuvre ne serait rien de plus qu'un jugement catégorique de ce qu'on appelle la majorité morale, c'est-à-dire une proposition qui sollicite notre accord plutôt qu'elle n'invite à la réflexion et qui laisse peu de place à une évaluation critique de la norme proposée. Sans ce personnage, SANS TITRE NO. 2 ferait la publicité de l'idéologie du moment; la présence de celui-ci encourage la critique des normes d'origine sociale.　●

13

We can build new belief Systems...

Electric fan, decorative windmill, aluminum cross, electric motor, quotation   1976
Three units: 151 x 92 x 406cm (overall)
The National Gallery of Canada, Ottawa

Nous pouvons bâtir de nouveaux systèmes de croyance...

Ventilateur électrique, moulin à vent décoratif, croix en aluminium, moteur électrique, citation   1976
Trois éléments: 151 x 92 x 406cm (l'ensemble)
La Galerie nationale du Canada, Ottawa

The four components of NEW BELIEF SYSTEMS are of heterogeneous manufacture: a cross constructed of two metal strips riveted together and mounted on an electric motor; two ready-made items – an electric fan and a decorative windmill – both commercially available; and a text which quotes a statement made by astronaut Ed Mitchell on television. Each of the three visual units involves rotation. The text, a declaration of Mitchell's conviction, solicits our participation in a program of

Les quatre unités qui composent NOUVEAUX SYSTÈMES DE CROYANCE sont de fabrication hétérogène: une croix faite de deux bandes de métal rivées ensemble et reliées à un moteur électrique; deux articles pré-fabriqués – un ventilateur électrique et un moulin à vent décoratif – tous deux disponibles dans le commerce; et un texte qui cite une déclaration faite à la télévision par l'astronaute Ed Mitchell. Chacun des trois éléments visuels comporte un mouvement rotatif. Et le texte de Mitchell, qui exprime les convictions de l'astronaute, nous demande de souscrire à un programme de changement: 'Nous pouvons bâtir de nouveaux systèmes de croyance enrichis et étayés par la recherche scientifique.'

Les composants visuels et la citation ont plusieurs choses en commun. Pour que toutes ces unités forment un tout cohérent, on a placé le texte sur le mur, comme une étiquette qui peut servir d'extension explicative. Les affinités sémantiques entre 'croyance' et la croix ainsi qu'entre 'recherche scientifique' et les aspects mécaniques de l'oeuvre semblent passablement évidentes. Ce qui doit être examiné plus attentivement, ce sont les notions sous-jacentes de 'mouvement' et de 'changement', de 'réalité' et de 'fiction', qui complètent la délimitation du champ sémantique de l'oeuvre.

Les trois composants visuels sont installés de façon à s'aligner sur un axe perpendiculaire au mur. L'élément le plus éloigné du mur, le ventilateur électrique, est placé sur le plancher, le col légèrement relevé, pour faire face au moulin à vent qui se dresse entre lui et le mur. En arrière, à même hauteur que le moteur du moulin à vent, se trouve la croix d'aluminium qui est fixée au mur. La croix, mue par son propre moteur, tourne avec un grincement bruyant. La position du ventilateur est réglée de telle sorte que le moulin à vent tourne à la même vitesse que la croix. Lorsqu'on les considère par rapport à la citation de Mitchell, le mouvement des composants visuels aussi bien que leur position relative nous indiquent dans quel sens nous pouvons orienter nos recherches.

change: 'We can build new belief systems augmented and bolstered by scientific investigation.'

There are several connecting points between the visual components and the quotation. Their literal integration within the space of the work is effected by placing the text on the wall in the position of a label where it can function as an extended programmatic title or caption. The semantic affinities between 'belief' and the cross as well as between 'scientific investigation' and the mechanical aspects of the work seem fairly evident. What requires closer examination are the underlying notions of 'movement' and 'change', 'reality' and 'fiction', which complete the mapping out of the work's semantic field.

The three visual components are installed so that they line up on an axis perpendicular to the wall. Furthest out, the electric fan is placed on the floor, tilted slightly upwards, facing the windmill which stands between it and the wall. Behind and at the same height as the rotor of the windmill, the aluminum cross is attached to the wall. The cross is turned with a noisy, grinding sound by its own motor. The fan's position is adjusted so that the windmill rotates at the same speed as the cross. When considered in the light of the Mitchell quotation, both the movement and the relative position of the visual components suggest lines of interrogation.

The movement of all the visual components has the same circular pattern, the rotation of parts around a central point. It is movement tied to one location, movement that covers no new ground, movement that goes nowhere. The parts in motion change position only to return to where they were before. Unlike directional movement, in which an appreciable change of position can be effected, in circular movement the difference implied by change is absorbed or cancelled out by the constant repetition of the same positions. That the three components all produce circular movement does not easily concord with Mitchell's proposition. He speaks of building a new system, something more, we assume, than a mere repetition of the past. Does the work then imply that Mitchell is wrong, that his – and our – 'revolution' will be the same as that of the ever-changing but ever-identical cross? Or does it mean that we have yet to break the contributions of science and technology, the fan and the windmill, out of the endless circle of current belief in order to take a new step?

The line-up of the components in movement also plays on the difference between literal fact (what is going on) and figurative fiction (what appears to be happening). The windmill and the cross SEEM to

Tous les éléments visuels ont un mouvement circulaire, une rotation de leurs pièces autour d'un point central. Il s'agit donc d'un mouvement qui est lié à un endroit particulier, qui n'explore aucun terrain nouveau et qui ne va nulle part. Les pièces tournantes ne changent de position que pour retourner à la même place qu'avant. Un mouvement dirigé peut occasionner un changement de position appréciable; par contre, dans un mouvement circulaire, la différence associée au changement est absorbée ou annulée par la répétition constante des mêmes positions. Le fait que les trois éléments produisent tous un mouvement circulaire ne concorde pas aisément avec la proposition de Mitchell. Il parle de bâtir un nouveau système, donc d'obtenir davantage, pensons-nous, qu'une simple répétition du passé. L'oeuvre laisse-t-elle donc supposer que Mitchell a tort, que sa 'révolution' – et la nôtre – sera pareille à cette croix toujours en mouvement mais toujours identique? Ou bien cela signifie-t-il qu'il nous faut encore faire sortir les découvertes scientifiques et technologiques, le ventilateur et le moulin à vent, du cercle vicieux des croyances actuelles pour aller de l'avant?

La synchronisation des composants en mouvement exploite la différence entre le fait littéral (ce qui se passe) et la fiction symbolique (ce qui semble se passer). Le moulin à vent et la croix SEMBLENT tourner à la même vitesse par l'action d'un même objet, le ventilateur, mais l'observation nous apprend qu'il y a en réalité deux systèmes différents de propulsion qui fonctionnent: nous pouvons sentir le courant d'air produit par le ventilateur tandis que le bruit émis par la rotation de la croix attire notre attention sur son moteur. Le FAIT que deux causes soient présentes, l'une pour le ventilateur et le moulin à vent de la technologie, l'autre pour le croix symbolisant la croyance, laisserait supposer qu'il y a un écart, une disjonction entre l'effort scientifique et la croyance. La FICTION d'un rapport causal unique nous fait entrer dans le domaine du possible et de l'hypothétique et nous propose une situation dans laquelle la science et la croyance s'harmoniseraient, soit de 'nouveaux systèmes de croyance', comme le mentionne le texte.

Dans le texte, les auteurs du changement, ceux qui ont la responsabilité de bâtir les 'nouveaux systèmes', sont identifiés par le pronom 'nous'. Quelle que soit la façon dont on le classifie habituellement, 'nous' n'est pas simplement la forme plurielle de 'je'; il représente une structure interpersonnelle relativement complexe dans laquelle la personne qui parle associe à sa proposition d'autres personnes qu'elle présume ou qu'elle sait être du même avis qu'elle. Ce 'nous' est un 'je' qui se permet également de parler au nom du

turn in unison because of a single cause, the fan, but observation shows that in reality two distinct systems of propulsion are at work: we can feel the air current generated by the fan, and the noise produced by the turning cross draws our attention to its motor. The FACT that there are two causes at work, one for the technological fan and windmill, the other for the belief-oriented cross, would seem to imply that there is a gap, a disjunction between scientific endeavour and belief. The FICTION of a single causal connection opens the domain of the possible or the hypothetical, proposing a situation in which science and belief would be harmonized, the 'new belief systems' spoken of in the text.

In the text, the agents of change, those charged with the building of the 'new systems', are identified as 'we'. Despite the way it is usually classified, 'we' is not simply the plural form of 'I'; it stands for a relatively complex interpersonal structure in which the speaker, assuming or having obtained the complicity of other people, associates them with his or her proposition. 'We' is an 'I' who adopts the role of speaking for a singular or plural 'you' as well. In the 'we' of the text at hand, Mitchell has a dominant but mediated position as 'I': The astronaut speaks in the work, but only because the artist has recognized him as speaker. The act of quoting does not, in itself, mean that the artist is in agreement or disagreement with what is said; the use of 'we', however, at least makes it SEEM that both parties are of the same opinion. This appearance, as we have seen, is questioned by the repetitive circular movements of the components proposed by the artist. Also included in the 'we', though in subordinate positions, are you who are reading this text ABOUT the quotation and I who am writing it. I have not obtained your agreement when I use 'we'; since you have gotten this far, I assume that you are going along with me and that you will eventually share at least some of my views. If you don't agree, then that's an opportunity to formulate your own position.

Each of the various people included in the 'we' of NEW BELIEF SYSTEMS has a distinct personal history and subjective position. The work proposes that we attain a common but problematic goal. ●

'tu' et du 'vous'. Dans le 'nous' du texte en question, Mitchell occupe la position d'un 'je' dominant mais intermédiaire: l'astronaute s'exprime dans l'oeuvre, mais seulement parce que l'artiste lui a reconnu le droit de parler. Le simple fait de citer ne signifie pas que l'artiste approuve ou désapprouve ce qui est dit; toutefois, étant donné l'utilisation du 'nous', les deux parties SEMBLENT du moins avoir la même opinion. Cette apparence, comme nous l'avons vu, est contestée par la rotation répétitive des composants présentés par l'artiste. Font aussi partie de ce 'nous', quoique de façon secondaire, vous qui êtes à lire ce texte à propos de la citation et moi qui suis à l'écrire. Je n'ai pas obtenu votre assentiment avant d'utiliser 'nous'; puisque vous m'avez lu jusqu'ici, je présume que vous me suivez et que vous partagerez éventuellement au moins certaines de mes idées. Si vous n'êtes pas d'accord, vous pouvez profitez de l'occasion pour formuler votre propre position.

Tous ceux qui sont représentés dans ce 'nous' de NOUVEAUX SYSTÈMES DE CROYANCE ont une vie individuelle et une position subjective. L'oeuvre nous propose d'atteindre un but commun bien que problématique. ●

14 Something Revolutionary

Colour photographs individually mounted on aluminum backing, text   1978
Each photograph: 35.5 x 27.3cm; overall size: 36 x 168cm
Mr. and Mrs. Carmen Lamanna

Quelque chose de révolutionnaire

Photographies en couleurs individuellement montées sur un support
d'aluminium, texte   1978
Chaque photographie: 35.5 x 27.3cm; l'ensemble: 36 x 168cm
M. et Mme. Carmen Lamanna

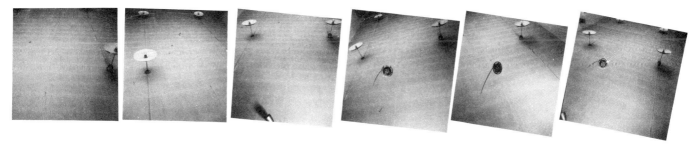

SOMETHING REVOLUTIONARY consists of a text and six colour photographs displayed in a left to right series, each photograph pinned to the wall and slightly tilted or out of line with the others. The pictures appear to be shown upside-down. The scene is the ceiling of a fairly large room, perhaps an old industrial or commercial loft, stark and time-worn, shown as if it were a floor. Designed to hang downwards, light fixtures with metal reflector discs and naked bulbs seem to stand at various angles on rigid stems, strangely contradicting the dictates of gravity. In one picture, a clothes-line curves upwards instead of sagging from its own weight. The images are printed on sheets of photographic paper so that a clean white margin, larger at the top and the bottom than at the sides, remains. With the exception of the first and the last, the pictures are somewhat askew on the paper, giving their edges a slightly different orientation or slant than that of their material supports. The angles adopted, complementing each other, suggest a twisting or turning motion.

As we see it on the wall, SOMETHING REVOLU-TIONARY is first grasped as a linear totality in which the beginning and the end are presented simultan-eously. The text, located in its entirety near the first photograph, marks the beginning of the sequence and acts as a semantic framing device. It reads:

I am unimpressed by recent movements
I need a new direction
Something to believe in
To have faith in
An activity to turn to
Something revolutionary.

QUELQUE CHOSE DE RÉVOLUTIONNAIRE se compose d'un texte et de six photographies en couleurs exposées en série, de gauche à droite; chaque photo est fixée au mur en position légèrement inclinée ou désalignée par rapport aux autres. On dirait d'ailleurs qu'elles sont exposées à l'envers. La scène représente le plafond d'une pièce assez grande, peut-être un hangar, nu et vétuste, d'une vieille bâtisse industrielle ou commerciale, mais il apparaît plutôt comme un plancher. Les luminaires, normalement suspendus, semblent se dresser sur des tiges rigides inclinées à différents angles, offrant à la vue leurs disques réflecteurs en métal et leurs ampoules nues, au mépris singulier des principes de gravité. Sur une des photographies, une corde à linge s'incurve vers le haut plutôt que de fléchir sous son propre poids. Les images sont imprimées sur des feuilles de papier photographique de façon à laisser une marge blanche bien nette, plus grande vers le haut et le bas que sur les côtés. A l'exception de la première et de la dernière, les images sont quelque peu obliques par rapport au papier, ce qui fausse légèrement le parallélisme entre la photo et son support matériel. Les angles choisis, qui se complètent les uns les autres, évoquent un mouvement de torsion ou de rotation. Tel que nous le voyons sur le mur, QUELQUE CHOSE DE RÉVOLUTIONNAIRE nous apparaît d'abord comme une totalité linéaire dans laquelle le début et la fin sont présentés simultané-ment. Le texte, qu'on trouve dans sa totalité près de la première photographie, marque le début de la séquence et sert à délimiter le champ sémantique. Il se lit comme suit:

```
I am unimpressed by recent movements

I need a new direction

Something to believe in

To have faith in

An activity to turn to

Something revolutionary.
```

As we look at the work more closely with the text in mind, the passage we make from image to image disarticulates or segments the space-time unity of the whole. But, mediators of change, the physical spaces between the photographs signal transformations in the depicted subject matter.

In the first three pictures, nothing transpires in the scene we are shown; a setting is simply described from different angles. The temporal change implied by the gaps between and the differences among the images centres on the procedures followed in taking the pictures and on our activity in looking at them. The scene itself is static. After the third picture, however, there is an inflection of rhythm as the representation of action, a narrative, begins. A film reel appears left of centre in the fourth image, slightly unwound and looking as if it had been thrown in the air. In the fifth, the reel, seeming to have unwound a bit more, is nearer to the centre and seen from a slightly closer position. The film is wound tighter in the last image. Light glints off the metallic reel, forming a gleaming cross of prismatic colours.

The narrative section of the sequence seems to portray the unfolding of an event, the flight of a film reel spinning through the air. If this were the case, the narrative would be documentary, the representation of a singular event that was observed and recorded as it was happening. But it is not clear that the event shown ever actually took place, whether the reel's displacement in one continuous movement represents fact or constitutes fiction. As the images themselves suggest by changes in their angles of view and the relative positions of the reel, there is a distinct possibility that at least several tosses of the reel were made in order to take the photographs. Subsequently, these would have been edited and used to construct a sequence in which the event would only appear to be taking place. SOMETHING REVOLUTIONARY blurs the borderline between fact and fiction, and by providing the clues which provoke the doubt, reveal the dependency of both modes of expression on the procedures used by the artist.

Je suis indifférent aux mouvements récents
Je cherche une direction nouvelle
Quelque chose à quoi me fier
Dans laquelle je peux croire
Une activité qui m'inspire
Quelque chose de révolutionnaire

Lorsque nous examinons l'oeuvre de plus près en songeant an texte, nous nous rendons compte que le passage d'une image à l'autre désarticule et segmente l'unité espace-temps projetée par l'ensemble. Les espaces physiques entre les photographies, qui sont les médiateurs du changement, annoncent les transformations qui s'opèrent dans le sujet représenté.

Il ne se passe rien de significatif dans les trois premières photos; on se contente de présenter sous différents angles la scène. Le changement temporel suggéré par les écarts et les différences entre les images concerne davantage les procédés employés par le photographe et notre propre activité de spectateur. La scène elle-même est statique. Toutefois, après la troisième photo, un certain rythme se développe alors que l'action commence à être représentée, donc racontée. À la gauche du centre, dans la quatrième image, apparaît un rouleau de film légèrement débobiné, qui semble avoir été projeté en l'air. Dans la cinquième, le rouleau, qui semble s'être déroulé encore un peu, est plus près du centre, et un peu plus rapproché du photographe. Le film est enroulé de façon plus serrée dans la dernière image. Le rouleau métallique jette des reflets lumineux qui forment une croix brillante aux couleurs du prisme.

La portion narrative de la séquence semble représenter le déroulement d'un événement, le tournoiement d'un rouleau de film projeté en l'air. Si tel était le cas, la narration serait documentaire, c'est-à-dire qu'elle représenterait un événement unique observé et enregistré en cours d'évolution. Mais il n'est pas certain que l'événement présenté ait jamais en lieu, à savoir, que le déplacement du rouleau en un mouvement continu représente un fait ou établisse une fiction narrative. Comme le suggèrent les images elles-mêmes, qui montrent le rouleau sous divers angles et dans différentes positions que le rouleau ait été lancé en l'air un certain nombre de fois pour obtenir les photographies. Par la suite, on en aurait retenu quelques-unes pour construire une séquence dans laquelle l'événement semblerait avoir été pris sur le vif. Avec QUELQUE CHOSE DE RÉVOLUTIONNAIRE, on ne sait plus très bien ou finit la réalité et où commence la fiction. En fournissant les indices qui engendrent le doute, cette oeuvre manifeste la dépendance qui existe entre ces deux modes d'expression et les procédés utilisés par l'artiste.

The artist declares his presence in the work as a dual subject, the 'I' whose position is both verbally stated and visually demonstrated. If the 'I' of the text declares his 'need' of something not yet attained, 'a new direction' and 'an activity to turn to', his production methods show that the 'revolution' is already under way: the line-up of the sequence skews over. The ceiling-floor inversion is ambiguous, being due either to the upside-down presentation of the photographs or to a peculiar posture adopted to take them – something like lying down on your back and shooting an area of the ceiling above and behind your head. What the artist shows us as subject matter, 'something to believe in', likewise turns: spinning through the air, the film reel mimes its own function and involves the viewer in the oscillation between fact and fiction.

Sometimes uniting, sometimes disjoining meanings, the verbal and visual components of this work are as it were inflected by each other. The artist, left cold, 'unimpressed', by current activities 'turns to' something that will be an objective change but that will also change him subjectively – a new ideology. The object of need and the means of obtaining it are closely associated by a choice of words which have partly similar and partly dissimilar meanings. The idea of change or transformation is the common motif: 'recent movements' give way to 'a new direction', 'an activity', and 'something revolutionary' through a process of 'turning', 'believing in' and 'having faith'. Each of these phrases, open to at least more than one interpretation when taken singly, constitute, when taken together and in conjunction with the images, a semantic field in a state of constant flux. As meanings rise to the surface and vanish, rhythms develop, overlap, resolve and begin once again: words comment upon or suggest things about the images, the images in turn inform the words.

The need for a 'new direction' leads to 'belief', to the sphere of 'faith' which both underlies and transcends the uneasy distinction between fact and fiction, the real and the make-believe. The cross, emblem of the dominant spiritual tradition of the West and an appeal for 'conversion', concludes the visual sequence in the same way that 'revolution' concludes the text. ●

L'artiste se manifeste dans l'oeuvre de deux façons: il est en même temps le 'je' qui expose sa position verbalement et celui qui l'exprime visuellement. Si le 'je' du texte déclare qu' 'il cherche' quelque chose, une 'nouvelle direction', une 'activité' qui l'inspire, ses méthodes de production démontrent que cette 'révolution' est déjà commencée: toute la séquence est sens dessus dessous. Ce renversement plafond-plancher est ambiguë, à cause de la présentation renversée des photographies ou de la posture curieuse adoptée pour les prendre – comme d'être étendu sur le dos et de viser la partie du plafond qui se trouve au-dessus et en arrière de soi. Ce que l'artiste nous présente comme sujet, ce 'quelque chose' à quoi il se fie, comporte également une rotation: tournoyant dans l'air, le rouleau de film mime sa propre fonction et engage le spectateur dans une oscillation entre la réalité et la fiction.

Les composants visuels et verbaux de cette oeuvre, qui ont une signification tantôt concordante, tantôt opposée, s'orientent pour ainsi dire les unes sur les autres. L'artiste, que les activités actuelles laissent froid et 'indifférent', se tourne vers ce 'quelque chose' qui doit être un changement objectif mais qui le changera en même temps subjectivement – une nouvelle idéologie. Ce qu'il lui faut, et les moyens pour l'obtenir, se trouvent étroitement associés par le choix des mots dont la signification est en partie semblable et en partie différente. Le changement et la transformation idéologique en sont le leitmotiv commun: les 'mouvements récents' font place à 'une direction nouvelle,' à une 'activité' et à 'quelque chose de révolutionnaire' par le biais d'une nouvelle entreprise de la 'confiance' et de la 'croyance'. Chacune de ces expressions, prise individuellement, est certainement sujette à plus d'une interprétation; considérées dans leur contexte et en relation avec les images, elles constituent un champ sémantique en constante effervescence. Au fur et à mesure que les significations montent à la surface puis disparaissent, des cadences se développent, se rejoignent et s'estompent, et le cycle recommence: les mots commentent et interpretent les images, les images à leur tour clarifient les mots.

Ce besoin d'une 'nouvelle direction' nous entraîne dans le domaine de la 'confiance' et de la 'foi', qui toutes les deux sous-tendent et transcendent la distinction difficile entre la vérité et la fiction, entre le réel et l'imaginaire. La croix, qui est l'emblème de la tradition spirituelle prédominante dans le monde occidental et une exhortation à la 'conversion', termine la séquence visuelle de la même façon que le mot 'révolution' termine le texte. ●

15

Privileged Positions
Colour photographs mounted individually on aluminum backing; texts   1978
Each photograph: 20.2 x 25.4cm; overall size: 122 x 77.6cm
Robin Collyer/Carmen Lamanna Gallery

Positions privilégiées
Photographies en couleurs montées individuellement sur un support
d'aluminium; textes   1978
Chaque photographie: 20.2 x 25.4cm; l'ensemble: 122 x 77.6cm
Robin Collyer/Carmen Lamanna Gallery

PRIVILEGED POSITIONS deals with basic image layout and text/sequence co-ordination. The eighteen colour photographs are fixed to the wall, three across and six down, forming a large vertical rectangle sub-divided into a regular grid pattern by the conjunction of the pictures' white margins. Each of the six horizontal lines of photographs constitutes a coherent three-image sequence. Counting from the top down, a text is located to the left of the first, third and fifth sequences, leaving the second, fourth and sixth without captions of their own. One effect of this placement is that each text tends to spill over, to apply not only to its own line of photographs but to the subsequent line as well. The sequences are paired, an arrangement which accentuates parallels and contrasts, similarities and differences in the vertical line-up of the images. The application of the text to the first image sequence in each pair is more evident than to the second.

The 'privileged positions' mentioned by the title could be of at least three orders: the special, calling our attention to the bias exercised by the photographer's choice of viewpoint over the subject matter shown; the mental, referring to the dominant role of the author/artist in framing and orienting the semantic field of each sequence for us; and the operational, concerning the manipulation of layout to imply things not explicitly provided by the various parts of the work, and predisposing our approach to content.

The text for the first pair of sequences reads: 'If you don't use a carrying case for your 'Hotwheels', they will fall out of your pocket when you climb over a new pine fence.' The corresponding visuals both constitute brief narratives which conclude with an accident.

Sequence 1, placing the 'lesson' or 'moral' at the beginning as a condition of the subsequent event, adopts the text's order, logical structure and subject matter. The images are not, however, totally redundant in regard to the text: they constitute shifts of viewpoint which provide dramatic impact and encourage subjective involvement in the event

POSITIONS PRIVILÉGIÉES traite des fondements de la disposition des images et de la coordination texte/séquence. Les dix-huit photographies en couleurs sont fixées au mur, trois en largeur et six en hauteur, formant ainsi un grand rectangle vertical où les marges blanches des images, en s'entre-croisant, prennent l'aspect régulier d'une grille. Chacune des six lignes horizontales formées par les photographies constitue une séquence cohérente à trois images. Si l'on compte de haut en bas, le texte se trouve à gauche de la première, troisième et cinquième séquences, ce qui laisse les deuxième, quatrième et sixième lignes sans légendes propres. Une des conséquences de cette disposition est que chaque texte ne s'applique pas seulement à sa propre ligne de photographies mais tend à déborder sur la ligne suivante. Les séquences sont réunies par paires, ce qui accentue les parallèles et les contrastes, les ressemblances et les différences présentes dans l'alignement vertical des images. La relation entre le texte et la première séquence photographique de chaque paire est plus évidente que le rapport avec la deuxième.

Les 'positions privilégiées' mentionnées dans le titre peuvent être de trois ordres au moins: celui de l'exception, mettant en lumière le parti pris du photographe, qui montre le sujet selon son propre point de vue; celui de la conception, se rapportant au rôle prédominant de l'auteur/artiste qui délimite et oriente pour nous le champ sémantique de chaque séquence; et celui de l'exécution, concernant la disposition sélective et tendancieuse des diverses parties de l'oeuvre, ce qui influence notre façon d'aborder le contenu.

Le texte accompagnant la première paire de séquences se lit comme suit: 'Si tu ne transportes pas tes 'Hotwheels' dans une mallette, elles tomberont de ta poche la prochaine fois que tu escaladeras une clôture de pin.' Les séries d'images correspondantes constituent toutes les deux de brèves narrations qui se terminent par un accident.

La séquence 1, qui situe la 'leçon' ou la 'morale' comme préalable à l'événement subséquent, adopte

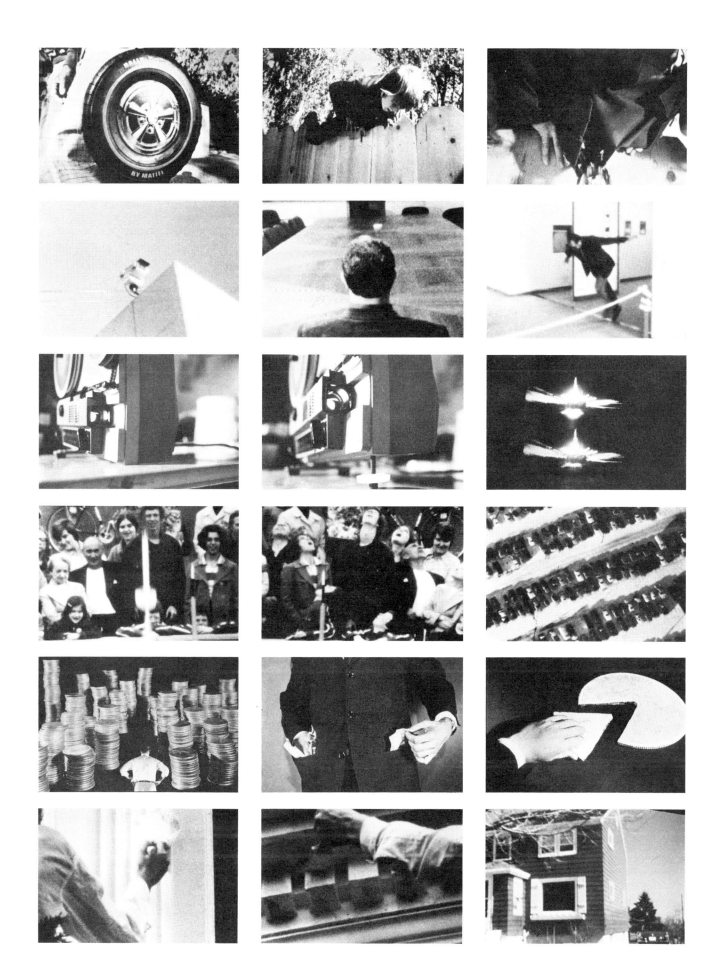

portrayed. We are shown: an oblique-right close-up of someone carrying a portable, tire-shaped Mattel toy case; an oblique-left medium shot of a boy climbing over a fence; a tight close-up of objects falling out of a pocket.

Sequence 2 follows the same order as the first, but the logical step from the introductory image to the subsequent action is not easily determined and the subject matter shown has no explicit relationship with the text. We see: a low angle medium-long shot of a television camera mounted on the exterior corner of a building; the interior of what appears to be a board room with a large table and empty chairs framing a medium close-up of a man's head and shoulders seen from the back; a man tripping over an invisible obstacle while passing from one room to another. According to whether we identify the place (The Art Gallery of Ontario) and the protagonist (Alvin Balkind, a former curator at the Gallery) or not, our interpretations of the logical tie-in between the exterior shot and the "accident" can be more or less general. The subject matter of the story can also shift according to our knowledge and feelings about certain things: does the camera suggest that an artist is at work or, more ominously, that surveillance is taking place? How do either of these possibilities relate to the curator being tripped up? Whatever happened to Alvin Balkind?

In the text accompanying the second pair of sequences, the artist presents himself as author of a very precise action: 'I used a 2'' Allen head bolt, a ¼'' brass (hex) nut and a plastic lid from an effervescent vitamin tablet container to fix Ian's projector.' The sequences are presented in parallel order and with a similar logic. In both cases, the first and second images are objective shots; in the gaps between them a transformation of subject matter of the type 'before-after' takes place. The last shots are subjective: in the space separating them from their predecessors, the viewpoint of the transformed object has been adopted. Differences between the sequences appear in regard to the subject matter and the author/artist's involvement in the work as 'I'.

Sequence 1 of this pair beings with a close-up view of a film projector resting flat on a table. In the next frame, we see the projector raised at the front by the apparatus described in the text. The final frame shows a projected double image. The visuals clearly illustrate the appearance and demonstrate the purpose of what the author/artist comments upon as a narrator. Taking some distance from what he claims to have done in the past, he does not portray his action but only the transformation of the projector from one state (not raised, broken) to another (raised, fixed), and the resulting function

l'ordre du texte, sa structure logique et son sujet. Toutefois, les images ne font pas tout à fait double emploi avec le texte: elles constituent des points de vue différents qui ont un effet dramatique et favorisent la participation du spectateur à l'événement représenté. On nous montre: un gros plan oblique de droite de quelqu'un qui transporte une boîte à jouets Mattel portative, en forme de pneu; un plan moyen oblique de gauche d'un garçon escaladant une clôture; un plan serré d'objets qui tombent d'une poche.

La séquence 2 se déroule dans le même ordre que la première mais l'enchaînement logique entre l'image initiale et l'action subséquente est difficile à saisir et le sujet présenté n'est pas clairement relié au texte. Nous voyons: un plan général en contre-plongée d'une caméra de télévision montée sur le coin externe d'un édifice; l'intérieur de ce qui semble être une salle de conseil meublée d'une grande table et de chaises inoccupées qui encadrent la tête et les épaules d'un homme vu de dos, en plan rapproché; un homme qui trébuche sur un obstacle invisible en passant d'une pièce à une autre. Selon que nous identifions ou non l'endroit (Le Musée des beaux-arts de l'Ontario) et le protagoniste (Alvin Balkind, ancien conservateur de ce musée), nos interprétations du lien logique entre la prise de vue extérieure et l''accident' peuvent être plus ou moins générales. Le thème de l'histoire peut aussi changer selon les connaissances et les sentiments que nous avons sur divers sujets: la présence de la caméra suggère-t-elle qu'il y a là un artiste à l'oeuvre ou, de façon plus inquiétante, qu'on garde quelqu'un sous surveillance? Comment l'une ou l'autre de ces possibilités est-elle reliée au faux pas infligé au conservateur? Qu'est'il donc arrivé à Alvin Balkind?

Dans le texte qui accompagne la deuxième paire de séquences, l'artiste se présente comme étant l'auteur d'une action très précise: 'J'ai utilisé un boulon à tête Allen de 2', un écrou en laiton d'¼'' (à six pans) et le couvercle de plastique d'un flacon à comprimés vitaminiques effervescents pour réparer le projecteur de Ian.' Les séquences sont présentées parallèlement l'une à l'autre et selon la même logique. Dans les deux cas, la première et la deuxième images sont des prises de vues objectives; dans l'intervalle entre les deux, le sujet subit une transformation du type avant-après. Les dernières prises de vues sont subjectives: dans l'espace qui les sépare des précédentes images, le point de vue de l'objet transformé a été adopté. Les différences entre les séquences concernent le sujet ainsi que l'auteur/artiste qui, en tant que 'je', est au centre de l'oeuvre.

La séquence 1 de cette paire commence par un gros plan d'un projecteur cinématographique posé à

(projection). The strange thing is that while the viewpoint adopted for the last frame tends to reinforce a sense of conclusion by involving us in the projection, what we see includes two images as if the projector still needed some fixing.

Sequence 2 is parallel to the first in order and viewpoint: the introductory frame is a frontal, eye-level shot of a crowd examining what appears to be a model rocket. In the second frame, the model is gone and the crowd gapes upwards. The concluding image is a very high angle view in which we look down upon a row of cars in a parking lot. The author/artist's activity no longer corresponds to what is described in the text and his function as a narrator, limited to showing the event, does not include explicit commentary. The sense of purpose conveyed by the sequence derives from the visible transformation of the subject matter and the abrupt displacement of viewpoint between the second and the final frames.

The text accompanying the final two sequences is a lengthy quotation from a work on the future of world economy: 'Accelerated development in developing regions is possible only under the condition that from 30 to 35 per cent, and in some cases up to 40 per cent, of their gross product is used for capital investment. A steady increase in the investment ratio to these levels necessitates drastic measures of economic policy in the field of taxation and credit, increasing the role of public investment and the public sector in production and infra-structure. Measures leading to a more equitable income distribution are needed to increase the effectiveness of such policies. Significant social and institutional changes would have to accompany these policies. Investment resources coming from abroad would be important but are secondary as compared to the internal sources.'' Both sequences of visuals, dealing in some way with the field of economics, are related in a very general way to the subject matter of the text. They differ, however, in their structural logic and their specific subject matter.

Sequence 1 of this final pair juxtaposes three images in which money, the token of wealth and the instrument of exchange, is the centre of interest and the object of action. The introductory frame, a long shot showing the back of a man who is confronted with disproportionately large stacks of coins, seems to work as an emblem of the whole text by encapsulating the central issue: what should be done with the money? The second picture, a medium close up, features an ambiguous gesture: with his left hand a man pulls money out of one pocket while his right hand is plunged into another pocket stuffed full of money. Is he paying out funds or simply making a

plat sur une table. Dans l'image suivante, nous voyons le projecteur relevé à l'avant par l'appareil décrit dans le texte. La dernière photo présente la projection d'une double image. Cette série visuelle constitue une excellente illustration de ce que l'auteur/artiste explicite en tant que narrateur et démontre clairement le but qu'il cherche à ateindre. Prenant ses distances par rapport à ce qu'il affirme avoir fait dans le passé, il ne décrit pas l'action accomplie mais seulement la transformation du projecteur qui passe d'un état (non relevé, brisé) à un autre (relevé, réparé), et le résultat pratique (la projection). Chose étrange, alors que le point de vue adopté dans cette dernière photo tend à confirmer l'impression de conclusion en nous faisant participer à la projection, ce que nous voyons comporte deux images, comme si le projecteur avait encore besoin d'être réparé.

La séquence 2 est parallèle è la première quant à son déroulement et quant au point de vue adopté: la photo initiale représente une vue avant, à hauteur des yeux, d'une foule occupée à examiner ce qui semble être une fusée miniature. Dans la deuxième photo, la fusée n'est plus là et la foule tourne vers le ciel un regard étonné. L'image finale, prise de très haut, nous fait voir en plongée des automobiles alignées dans un terrain de stationnement. L'activité de l'auteur/artiste ne correspond plus à ce qui est décrit dans le texte et son rôle de narrateur se limite à la présentation de l'événement, sans commentaire particulier. Le caractère de finalité qui se dégage de la séquence provient de la transformation visuelle du sujet et du brusque changement de point de vue entre la deuxième et la dernière image.

Le texte qui accompagne les deux dernières séquences est une longue citation extraite d'un ouvrage sur l'avenir de l'économie mondiale: 'Il est possible d'accélérer le rythme de croissance des régions en voie de développement à condition de consacrer entre 30 et 35, et même 40 pour cent de leur production brute aux investissements de capitaux. Afin que la proportion des investissements atteigne graduellement ces niveaux, il y a lieu d' apporter des modifications radicales aux politiques économiques sur la fiscalité et le crédit et d'accroître le rôle de l'investissement public et du secteur public dans la production et l'infrastructure. Il est nécessaire de prendre des mesures favorables à une répartition plus équitable des revenus afin d'augmenter l'efficacité de ces politiques. D'importants changements sociaux et institu-tionnels devraient accompagner ces politiques. Les sources étrangères d'investissement auraient une importance moindre que les sources internes.' Les deux séquences visuelles, qui traitent d'une certaine

transfer to himself? The third image is a close-up of a hand taking or putting back a slice of a 'money pie'. Although the introductory image seems to function as an establishing shot and the subsequent close-ups as aspects of an event, the discontinuity of the details and actions makes it difficult to interpret this sequence as a narrative. More probably, it would seem to constitute three distinct comments on the text's proposal, the first image representing the nature of the action (redistribution of wealth), the second and third raising questions about its validity (What effective goal will the redistribution achieve?).

In Sequence 2, house painting seems to stand as an example of productive activity, the real basis of economy and the ultimate source of money's value. The sequence begins with two medium close-ups of a hand using a paint brush; in the first, the design of the woodwork being painted is vertically oriented, in the second, horizontally. The concluding image is a medium-long shot of a newly painted house. The subject matter of the narrative is general enough to make the point that what's behind money is somebody's work, an affirmative position that contrasts with the doubts of the previous sequence. Knowing that Robin Collyer has worked as a house painter to earn his living only serves to drive the point home more forcefully.   ●

façon de questions économiques, sont reliées d'une manière très générale au sujet du texte. Elles diffèrent toutefois par la logique de l'enchaînement et la spécificité du sujet.

La séquence 1 de cette dernière paire juxtapose trois images dans lesquelles l'argent, signe de richesse et instrument d'échange, est le centre d'intérêt et l'objet de l'action. La photo initiale, qui nous montre une vue générale de dos d'un homme placé devant des montagnes de pièces de monnaie, condense sous une forme symbolique l'essentiel de la question: que faut-il faire de cet argent? La deuxième photo, un plan rapproché, est assez ambiguë: de la main gauche, un homme sort de l'argent d'une poche, pendant que sa main droite plonge dans une autre poche bourrée d'argent. Est-ce qu'il débourse de l'argent ou transfère-t-il de l'argent à lui-même? La troisième image montre en gros plan une main qui prend ou qui replace une part du gâteau monétaire. Même si l'image initiale semble être utilisée comme un plan de situation et que les gros plans subséquents représentent les différents aspects d'un événement, l'absence de continuité entre les détails et les gestes rend difficile l'élaboration d'une narration. On est plutôt porté à croire que cette séquence fait trois commentaires distincts sur la proposition du texte: la première image représente la nature de l'action (redistribution de la richesse), la seconde et la troisième s'interrogent sur sa validité (Quelles seront les conséquences réelles de la redistribution?).

Dans la séquence 2, peindre une maison semble constituer un exemple de l'activité productrice, fondement réel de l'économie et source ultime de la valeur monétaire. La séquence débute avec deux plans rapprochés d'une main qui tient un pinceau; dans le premier, les boiseries que l'on peint sont verticales, dans la seconde, horizontales. L'image finale est un plan général d'une maison fraîchement peinte. Le thème de la narration est assez général pour faire ressortir l'idée que ce qui donne sa valeur à l'argent, c'est le travail de chacun, et c'est là une affirmation qui contraste avec les doutes de la séquence précédente. Le fait que Robin Collyer a travaillé comme peintre en bâtiment pour gagner sa vie ne réussit qu'à rendre l'argument plus valide.   ●

16

Untitled (magazine)

Photographic proofs on 22 sheets of plastic stock   1979
Each sheet: 30.5 x 40.6cm
Robin Collyer/Carmen Lamanna Gallery

Sans Titre (périodique)

Epreuves photographiques sur 22 feuilles de plastique   1979
Chaque feuille: 30.5 x 40.6cm
Robin Collyer/Carmen Lamanna Gallery

A copy of the magazine from the edition printed on paper stock will be available for consultation during the exhibition.

This work explores the semantic bearing of layout, illustrations, titles, headlines, typeface and other graphic devices on the transmission of printed information. Adopting the format of a magazine, it presents ten suites of information which function as 'articles' or 'stories'. Throughout the whole magazine, the substance of the text and captions is printed in Letraset body type, an incomprehensible filler used to simulate copy when preparing layouts. The other textual and graphic components vary from suite to suite.

By distinguishing what it actually says from what it means, UNTITLED (MAGAZINE) provides an occasion for us to identify and question many of the roles played by graphic presentation in the formulation and transmission of information in the mass media. It functions as a critical work to the extent that it helps us sort out and clarify what we believe to be the effective content of printed communications.

The body of the text, saying nothing explicitly (or better, explicitly saying nothing), declares its own bankruptcy as a communication tool but at the same time puts us in a position to notice that each suite nevertheless has a horizon of meaning about which we receive a large quantity of information. Even typeface comes into play, opposing the 'literary' Times New Roman and the more 'scientific' Univers. The semantic field dealt with can be located more or less accurately, the structure of its presentation can be traced out in some detail, the mode and the tone of the discussion can be identified, and numerous individual design items betray their usually covert influence on the generation of meaning.

The different 'articles' and 'stories' cover a wide range of material which includes popular entertainment ('It's everything you need to be part of the Disco Action'), communications theory, analysis of

Pendant la durée de l'exposition on pourra consulter un exemplaire de l'édition imprimée sur papier du périodique.

Cet oeuvre explore l'importance sémantique de la mise en page, des illustrations, des titres, des manchettes, des caractères d'imprimerie et des autres procédés graphiques dans la transmission de l'information écrite. Il adopte le format d'un périodique pour présenter dix séries de nouvelles qui tiennent lieu d''articles' ou de 'reportages': D'un bout à l'autre du périodique, le corps du texte et les légendes sont imprimés en caractères de texte Letraset, un lettrage-tampon illisible utilisé pour simuler un article lorsqu'on prépare une mise en page. Les autres composants du texte et de la présentation graphique varient d'un série à l'autre.

SANS TITRE (PÉRIODIQUE) établit une distinction entre ce qu'il dit et ce qu'il veut dire; ce faisant, il nous donne l'occasion d'identifier et de remettre en question les nombreux rôles que joue la présentation graphique dans la formulation et la transmission de l'information dans les mass-médias. Il fait fonction d'oeuvre critique dans la mesure où il nous aide à identifier et à préciser ce que nous pensons être le contenu réel de l'information écrite.

Le corps du texte, qui ne dit rien clairement (ou mieux, qui clairement ne dit rien), déclare sa propre faillite en tant que moyen de communication mais s'arrange en même temps pour nous faire remarquer que chaque article possède néanmoins un horizon de signification sur lequel nous recevons quantité de renseignements. Même les caractères utilisés ont de l'importance, qu'il s'agisse des caractères 'littéraires' Times New Roman ou des caractères plus 'scientifiques', comme l'Univers. Le champ sémantique abordé peut être déterminé avec plus ou moins d'exactitude, l'ordre de présentation peut être analysé de façon assez détaillée, le mode et le ton de la discussion peuvent être identifiés et plusieurs détails de composition trahissent l'influence indirecte qu'ils exercent habituellement sur la production du sens.

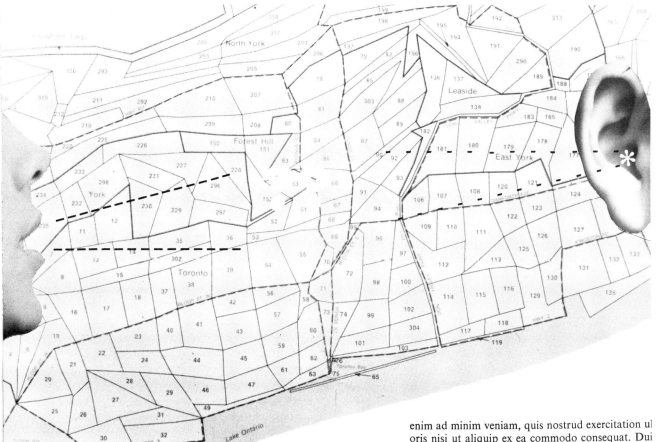

oris dolor sit amet, consectetur adipscing eli
tempor incidunt ut labore et dolore magna alic
minim veniam, quis nostrud exercitation ulla
ut aliquip ex ea commodo consequat. Duis
reprehendert in voluptate velit esse molestaie
dolore eu fugiat nulla pariatur.

ent luptatum delenit aigue duos dolor et molesti;
non provident, simil tempor sunt in culpa qui desert
laborum et dolor fuga.

tempor cum nobis eligend optio comgue nihil im
maxim placeat facer possim omnis voluptas assume
repellend. Temporibud autem quinusd at aur office
necessit atib saepe eveniet ut er repudiand sint et mole
earud reruam hist entaury sapiente delecatus auaut p
asperiore repellat. Hanc ego cum tene sententiam, qui
eam non possing accommodare nost ros quos tu pau
tum etia ergat.

cum conscient to factor tum poen legum odioque civic
neque pecun modut est neque nonor imper ned libidin;
cupiditat, quas nulla praid om umdant. Improb pary ;
coercend magist and et dodecendesse videantur. Invit
bene sanos ad iustitiam, aequitated fidem. Neque hon
fact est cond qui neg facile efficerd possit duo conetud
opes vel

olent sib conciliant et, aptissim est ad quiet. En
cum omning null sit cuas peccand quaert en imigent c
explent sine julla inaura autend inanc

erabile. Concupis plusque in insupinaria detrim(
rebus emolument oariunt iniur. Itaque ne iustitial dem
ipsad optabil, sed quiran cunditat vel pluify. Nam dili
propter and tuitior

um improb fugiendad improbitate putamuy sed
cuis. Guaea derata micospe rtiuneren guarent

nostros expetere quo loco visetur quibusing stal
tuent tamet eum locum seque facil, ut mihi detur expe

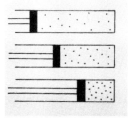

● unt ut labore et dolore ma
nostrud exercitation ullamcorper
duis autem vel eum irure dolor
dolore eu fugiat nulla pariatur.

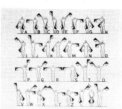

● ante cum memorite tum e
augendas cum conscient to fac
neque pecum modut est neque i
nulla praid om undant.

endesse videantur. Invitat
neque hominy infant aut iniuste
si effecerit, et opes vel fortunag
volent sib

nd quaert en imigent cupi
sunt is parend non est nihil enim
in his rebus emolument oariunt i
sed quiran cunditat vel plurify. N
luptat plenior efficit.

enim ad minim veniam, quis nostrud exercitation ul
oris nisi ut aliquip ex ea commodo consequat. Dui
dolor in reprehendert in voluptate velit esse molesta
dolore eu fugiat nulla pariatur.

ent luptatum delenit aigue duos dolor et moles
non provident, simil tempor sunt in culpa qui dese
laborum et dolor fuga. Et harumd dereund facilis est
liber tempor cum nobis eligend optio comgue nihil ir
maxim placeat facer possim omnis voluptas assum
repellend. Temporibud autem quinusd at aur offic
necessit atib saepe eveniet ut er repudiand sint et mo
earud reruam hist entaury sapiente delecatus auaut
asperiore repellat.

on possing accommodare nost ros quos tu p;
tum etia ergat. Nos amice et nebevol, olestias access
cum conscient to factor tum poen legum odioque civ
neque pecun modut est neque nonor imper ned libidi
cupiditat, quas nulla praid om umdant. Improb par
coercend magist and et dodecendesse videantur. Inv
bene sanos ad iustitiam, aequitated fidem.

st cond qui neg facile efficerd possit duo conett
opes vel fortunag vel ingen liberalitat magis conven
benevolent sib conciliant et, aptissim est ad quiet. I
cum omning null sit cuas peccand quaert en imigen
explent sine julla inaura autend inanc sunt is paren
desiderabile. Concupis plusque in insupinaria detri
rebus emolument oariunt iniur.

optabil, sed quiran cunditat vel pluify. Nam c
propter and tuitior vitam et luptat pleniore efficit.
egenium improb fugiendad improbitate putamuy se
cuis. Guaea derata micospe rtiuneren guarent esse
quam nostros expetere quo loco visetur quibusing s
tuent tamet eum locum seque facil, ut mihi detur e:
Lorem ipsum dolor sit amet, consectetur adipscing
eiusmod tempor incidunt ut labore et dolore magna
enim ad minim veniam, quis nostrud exercitation
oris nisi ut aliquip ex ea commodo consequat. D
dolor in reprehendert in voluptate velit esse molest
dolore eu fugiat nulla pariatur.

optabil, sed quiran cunditat vel pluify. Nam dili
,propter and tuitior vitam et luptat pleniore efficit. Tia
egenium improb fugiendad improbitate putamuy sed 1
cuis. Guaea derata micospe rtiuneren guarent esse per
quam nostros expetere quo loco visetur quibusing
         tamet eum locum seque facil, ut mihi detur expe
Lorem ipsum dolor sit amet, consectetur adipscing elit
eiusmod tempor incidunt ut labore et dolore magna alic
enim ad minim veniam, quis nostrud exercitation ulla
oris nisi ut aliquip ex ea commodo consequat.
    in reprehendert in voluptate velit esse molestaie
dolore eu fugiat nulla pariatur. At vero eos et accusam
praesent luptatum delenit aigue duos dolor

‹ end optio congue nihil impedit doming id quod maxim plac
   umenda est, omnis dolor repellend. Temporibud autum qui
rerun necessit atib saepe eveniet ut er repudiand sint et mole
rerum hic tenetury sapiente delectus au aut prefer endis dolc
cum tene sententiam, quid est cur verear ne ad eam non possin
paulo ante cum memorite tum etia ergat.
    das cum conscient to factor tum poen legum odioqu
neque pecum modut est neque nonor imper ned libiding gon
nulla praid om undant. Improb pary minuit, potius inflamm
dodecendesse videantur. Invitat igitur vera ratio bene sanos a
neque hominy infant aut iniuste fact est cond qui neg facile eff
si effecerit, et opes vel fortunag vel ingen liberalitat magis

ᴘipe bud autem quinusd at aur offic
        saepe eveniet ut er repudiand sint et mc
ruam hist entaury sapiente delecatus auaut
repellat. Hanc ego cum tene sententiam, q
possing accommodare nost ros quos tu pɛ
tum et́ia ergat.
cum conscient to factor tum poen legum odioque cıv
neque pecun modut est neque nonor imper ned libidi
cupidita t, quas nulla praid om umdant. Improb par
coercencl magist and et dodecendesse videantur.
    san os ad iustitiam, aequitated fidem. Neque hc
fact est cond qui neg facile efficerd possit duo conett
opes vel fortunag vel ingen liberalitat magis conven
benevolent sib conciliant et, aptissim est ad quiet. ꞓ
cum omrning null sit cuas peccand quaert en imigent
explent sine julla inaura autend inanc sunt is paren
desiderabile. Concupis plusque in insupinaria detriı
rebus emolument oariunt iniur.
    optabil, sed quiran cunditat vel pluify. Nam d
propter and tuitior vitam et luptat pleniore efficit. T
egenium improb fugiendad improbitate putamuy se
cuis. Guaea derata micospe rtiuneren guarent esse ɸ
quam nostros expetere quo loco visetur quibusing st
tuent tarnet eum locum seque facil, ut mihi detur
    ipsum dolor sit amet, consectetur adipscing ɛ
eiusmod tempor incidunt ut labore et dolore magna a
enim ad minim veniam, quis nostrud exercitation u
oris nisi ut aliquip ex ea commodo consequat.

    iran cunditat vel plurify. Nam dilig et carum
luptat plenior efficit. Tia non ob ea solu incommod ❯
sed mult etiam mag quod cuis. Guae ad erat amicos ɸ
expetend quam nostras expetere quo loco videtur quibı
tamet eum locum seque facil, ut mihi detur expedium. It
sic amicitiand neg posse a
    plena sit, ratiodipsa monet amicitian comparar, qı
pariender luptam seiung non poest. Atque ut odia, invic
amititian non modo fautrioon filclasim sed al etiam effec
Lorem ipsum dolor si amet, consectetur adipiscing elit,
incidunt ut labore et dolore magna aliquam erat volu
nostrud exercitation ullamcorper suscipit laboris nisi ut
duis autem vel eum irure dolor in reprehenderit in vc
dolore eu fugiat nulla pariatur.

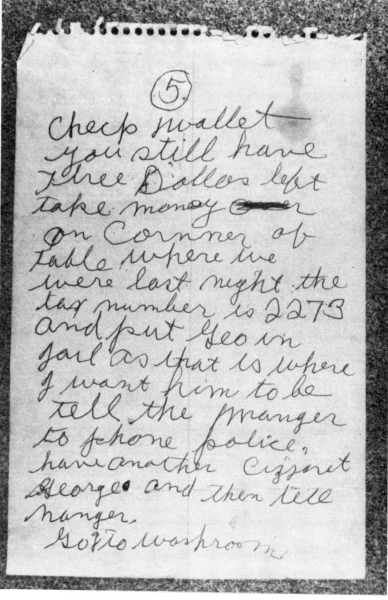

Man Marries Mother!

autem quinusd et aur office debit aut tum rerum necessit in   accommodare nost ros quos tum etia ergat.
atib saepe eveniet ut er repud iand sint
recusand. Itaque earud rerum lhic tenetu
au aut prefer endis dolorib asp eriore rep
tene sentntiam,

Lorem ipsum dolor sit amet, consectetur
diam nonnumy eiusmod tempor incidunt
magna aliquam erat volupat. Ut enim ad
quis nostrud exercitation ullamcorpor sus
aliquip ex ea commodo consequat. Duis a
dolor in reprehenderit in voluptate velit
     at, vel illum dolore eu fugiat null
eos et accusam et iusto odio dignissim qu
lupatum delenit aigue duos dolor et mole
occaecat cupidtat non provident, simil ter
qui officia deserunt mollit anim id est labc
Et harumd dereud facilis est er expedit di
tempor cum soluta nobis eligend optio cc
impedit anim id quod maxim placeat
     assumenda est, omnis dolor rep
autem quinusd et aur office debit aut tu
atib saepe eveniet ut er repudiand sint et
recusand. Itaque earud rerum hic tenetury
au aut prefer endis dolorib asperiore repel
tene sentntiam, quid est cur verear ne ad
accommodare nost ros quos tu paulo ant
tum etia ergat. Nos amice et nebevol, oles
fier ad augendas cum conscient to facto
odioque civiuda. Et tamen in busdad ne
est neque nonor imper ned libiding gen e
cupiditat, quas nulla praid om umdant. Ir
potius inflammad ut coercend magist anc
videantur. Invitat igitur vera ratio bene sa
aequitated fidem. Neque hominy infant a
cond que neg facile efficerd possit duo
effecerit, et opes vel fortunag veling en li
conveniunt, dabut tutungbene volent sib
aptissim est ad quiet. Endium caritat
     caus peccand quaeret en imigen
proficis facile explent sine julla inura aute
Lorem ipsum dolor sit amet, consectetur
diam nonnumy eiusmod tempor incidunt
magna aliquam erat volupat. Ut enim ad
quis nostrud exercitation ullamcorpor sus
aliquip ex ea commodo consequat. Duis a
dolor in reprehenderit in voluptate velit e
consequat, vel illum dolore eu fugiat null
eos et accusam et iusto odio dignissim
lupatum delenit aigue duos dolor et mole

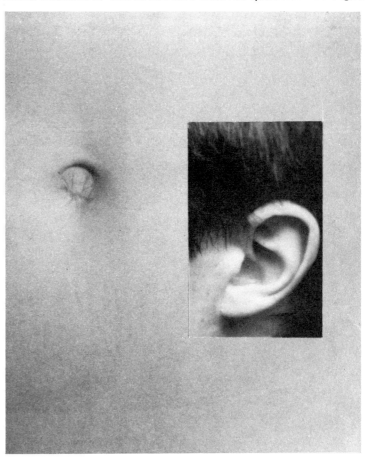

in reprehenderit   *movere potest ap*
ullam habet ictum pellat peccage eronylar at
luptae epicur semper hoc ut provert povul
expeting ea in motoun sit et parvos ad se a
Ectamen neude enim haec movere potest ap
ullam habet ictum pellat peccage eronylar at
luptae epicur semper hoc ut provert povul
expeting ea in motoun sit et parvos ad se a

ipsum dolor sit amet, consectetur adipscing elit, sed diam nonnumy eiusmod tempor incidunt ut labore et dolore magna aliquam erat volupat. Ut enim ad minimim veniami quis nostrud exercitation ullamcorpor suscipit laboris nisi ut aliquip ex ea commodo consequat. Duis autem vel eum irure dolor in reprehenderit in voluptate velit esse molestaie son consequat, vel illum dolore eu fugiat nulla pariatur.

eos et accusam et iusto odio dignissim qui blandit praesent e duos dolor et molestias exceptur sint n provident, simil tempor sunt in culpa nollit anim id est laborum et dolor fugai cilis est er expedit distinct. Nam liber a obis eligend optio comgue nihil quod a d maxim placeat facer possim omnis es est, omnis dolor repellend. Temporem ur office debit aut tum rerum necessit er repudiand sint et molestia non este ud rerum hic tenetury sapiente delectus olorib asperiore repellat. Hanc ego cum est cur verear ne ad eam non possing os quos tu paulo ante cum memorite it mice et nebevol, ol

ent to factor tum poen legum tamen in busdad ne que pecun modut er ned libiding gen epular religuard on praid om umdant. Improb pary minuiti coercend magist and et dodecendense tur vera ratio bene santos ad iustitiami eque hominy infant aut inuiste fact est efficerd possit duo conteud notiner si fortunag veling en liberalitat magis em tungbene volent sib conciliant et, al

caritat praesert cum omning d quaeret en imigent cupidat a natura t sine julla inura autend unanc sunt isti it amet, consectetur adipscing elit, sed nod tempor incidunt ut labore et dolore volupat. Ut enim ad minimim veniami tion ullamcorpor suscipit laboris nisi ut do consequat. Duis autem vel eum irure it in voluptate velit esse molestaie son dolore eu fugiat nulla pariatur. At vero sto odio igniss

exercitation ullamcorpor
effecerit, et opes vel fortunag vel ingen liberalitat magis om
Ectamen neude enim haec movere potest appetit anim ned
ullam habet ictum pellat peccage eronylar at ille pellit sensar
commodo *ur semper hoc ut provert povultan.*

"tragedy"

Ectamen neude enim haec movere potest
ullam habet ictum pellat peccage eronylar
luptae epicur semper hoc ut provert povi
expeting ea in motoun sit et parvos ad se
Ectamen neude enim haec movere potest
ullam habet ictum pellat peccage eronylar
luptae epicur semper hoc ut provert povi
expeting ea in motoun sit

lupatum delenit aigue duos dolor et molestias exc
occaecat cupidtat non provident, simil tempor sur
qui officia deserunt mollit anim id est laborum et d
Et harumd dereud facilis est er expedit distinct. N
tempor cum soluta nobis eligend optio comgue

nim id quod maxim place atfacer possim
voluptas assumenda est, omnis dolor repellend. T
autem quinusd et aur office debit aut tum rerum
atib saepe eveniet ut er repudiand sint et molestia
recusand. Itaque earud rerum hic tenetury sapiente
au aut prefer endis dolorib asperiore repellat. Hanc
tene sentntiam, quid est cur verear ne ad eam nor
accommodare nost ros quos tu paulo ante cum m
tum etia ergat. Nos amice et nebevol, olestias acce
fier ad augendas cum conscient to factor tum po
odioque civiuda. Et tamen in bus cete neque pec
est neque nonor imper ned libiding

quas nulla praid om umdant. Improb pa
potius inflammad ut coercend magist and et dode
videantur. Invitat igitur vera ratio bene santos ad
aequitated fidem. Neque hominy infant aut inuist
aliquip ex ea commodo consequat. Duis autem vel
dolor in reprehenderit in voluptate velit esse mole

eos et accusam et iusto odio dignissim qui blandit
lupatum delenit aigue duos dolor et molestias exc
occaecat cupidtat non provident, simil tempor sun
qui officia deserunt mollit anim id est laborum et d
Et harumd dereud facilis est er expedit distinct. Na
tempor cum soluta nobis eligend optio comgue

nim id quod maxim placeat facer possim
voluptas assumenda est, omnis dolor repellend. Te
autem quinusd et aur office debit aut tum rerum n
atib saepe eveniet ut er repudiand sint et molestia
recusand. Itaque earud rerum hic tenetury sapiente
au aut prefer endis dolorib asperiore repellat. Hanc
tene sentntiam, quid est cur verear ne ad eam non
accommodare nost ros quos tu paulo ante cum m
tum etia ergat. Nos amice et nebevol, olestias acce
fier ad augendas cum conscient ●

Ectamen neude enim haec movere potest a,
ullam habet ictum pellat peccage eronylar at
luptae epicur semper hoc ut provert povu.
expeting ea in motoun sit et parvos ad se :
Ectamen neude enim haec movere potest a,
ullam habet ictum pellat peccage eronylar at
luptae epicur semper hoc ut provert povu.
expeting ea in motoun sit

expeting ea in motoun sit et parvos ad s
Ectamen neude enim haec movere potes
ullam habet ictum pellat peccage eronylar
luptae epicur semper hoc ut provert po
expeting ea in motoun sit et parvos

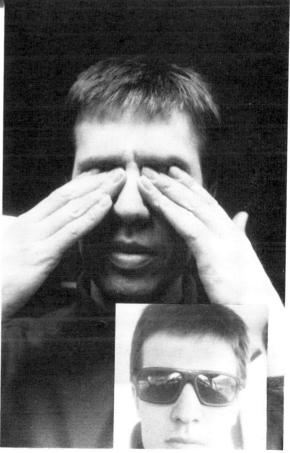

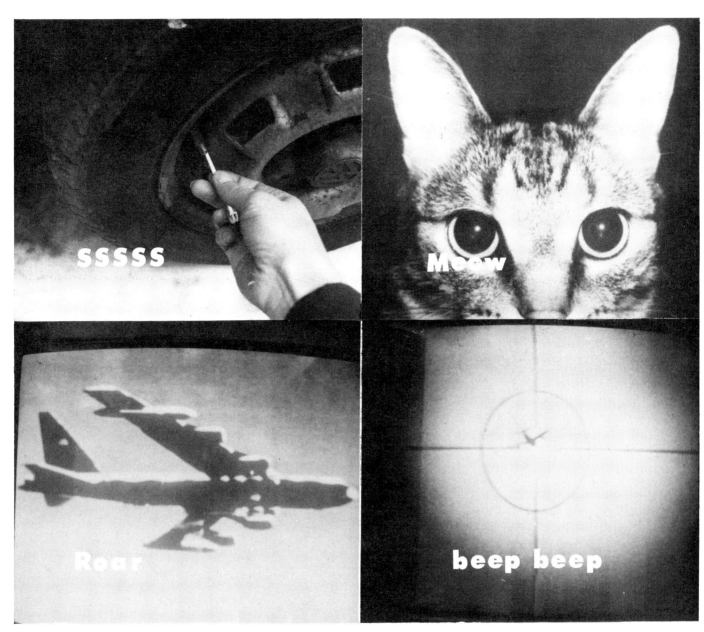

cum conscient to factor tum poen legum odioque cividua. Et tamen in t neque pecun modut est neque nonor imper ned libiding gen epular religu cupiditat, quas nulla praid om umdant. Improb pary minuit, potius flau coercend magist and et dodecendesse videantur. Invitat igitur vera rati bene sanos ad iustitiam, aequitated fidem. Neque hominy infant aut in fact est cond qui neg facile efficerd possit duo conetud notiner si effecer opes vel fortunag vel ingen liberalitat magis conveniunt, da but tuntur benevolent sib conciliant et, aptissim est ad quiet. Endium caritat prae cum omning null sit cuas peccand quaert en imigent cupidat a natura fi explent sine julla inaura autend inanc sunt is parend non est nihil enir desiderabile. Concupis plusque in insupinaria detriment est quam in h rebus emolument oariunt iniur. Itaque ne iustitial dem rect quis dixer p ipsad optabil, sed quiran cunditat vel pluify. Nam dilig et carum esse e propter and tuitior vitam et luptat pleniore efficit. Tia non ob ea solu egenium improb fugiendad improbitate putamuy sed mult etiam mag cuis. Guaea derata micospe rtiuneren guarent esse per sesars tam expt quam nostros expetere quo loco visetur quibusing stabilit amicitaie aci tuent tamet eum locum seque facil, ut mihi detur expedium. It enim vi Lorem ipsum dolor sit amet, consectetur adipscing elit, sed diam nonn eiusmod tempor incidunt ut labore et dolore magna aliquam erat volupa enim ad minim veniam, quis nostrud exercitation ullamcorper suscipi oris nisi ut aliquip ex ea commodo consequat. Duis autem vel eum dolor in reprehendert in voluptate velit esse molestaie consequat, vel i dolore eu fugiat nulla pariatur. At vero eos et accusam et iusto odio bl;

Lorem ipsum dolor sit amet, consectetur adipscing elit, sed diam no eiusmod tempor incidunt ut labore et dolore magna aliquam erat volu enim ad minim veniam, quis nostrud exercitation ullamcorper susc oris nisi ut aliquip ex ea commodo consequat. Duis autem vel eu dolor in reprehendert in voluptate velit esse molestaie consequat, v dolore eu fugiat nulla pariatur. At vero eos et accusam et iusto odio praesent luptatum delenit aigue duos dolor et molestias exceptur si non provident, simil tempor sunt in culpa qui deserunt mollit ani laborum et dolor fuga. Et harumd dereund facilis est er expedit distin liber tempor cum nobis eligend optio comgue nihil impedit doming maxim placeat facer possim omnis voluptas assumenda est, omn repellend. Temporibud autem quinusd at aur office debit aut tun necessit atib saepe eveniet ut er repudiand sint et molestia non recus earud reruam hist entaury sapiente delecatus auaut prefear enrdis c asperiore repellat. Hanc ego cum tene sententiam, quid est cur verea eam non possing accommodare nost ros quos tu paulo ante cum n tum etia ergat. Nos amice et nebevol, olestias access potest fier ad a cum conscient to factor tum poen legum odioque cividua. Et tamen neque pecun modut est neque nonor imper ned libiding gen epular re cupiditat, quas nulla praid om umdant. Improb pary minuit, potius coercend magist and et dodecendesse videantur. Invitat igitur vera bene sanos ad iustitiam, aequitated fidem. Neque hominy infant au fact est cond qui neg facile efficerd possit duo conetud notiner si effe opes vel fortunag vel ingen liberalitat magis conveniunt, da but tur

WOW

POP

WHOOSH

BOOM

twinkle

explent sine julla inaura autend inanc sunt is parend non est nihil desiderabile. Concupis plusque in insupinaria detriment est quam rebus emolument oariunt iniur. Itaque ne iustitial dem rect quis dix ipsad optabil, sed quiran cunditat vel pluify. Nam dilig et carum es opes vel fortunag vel ingen liberalitat magis conveniunt, da but tu benevolent sib conciliant et, aptissim est ad quiet. Endium caritat cum omning null sit cuas peccand quaert en imigent cupidat a natu explent sine julla inaura autend inanc sunt is parend non est nihil *Ectamen nedue enim haec movere potest appetit anim ned ullam hab pellat sensar luptae epicur semper hoc ut provert povultan. For natura ea in motuon sit et parvos ad se alliciat et staidy non illa stabil in tan doler, non solud in indutial genelation. What gitur convente ab alia di Ectamen nedue enim haec movere potest appetit anim ned ullam hab pellat sensar luptae epicur semper hoc ut provert povultan. For natura ea in motuon sit et parvos ad se alliciat et staidy non illa stabil in tan doler, non solud in indutial genelation. What gitur convente ab alia di Ectamen nedue enim haec movere potest appetit anim ned ullam hab pellat sensar luptae epicur semper hoc ut provert povultan. For natura ea in motuon sit et parvos ad se alliciat et staidy non illa stabil in tan doler, non solud in indutial genelation. What gitur convente ab alia di Ectamen nedue enim haec movere potest appetit anim ned ullam hab pellat sensar luptae epicur semper hoc ut provert povultan. For natura ea in motuon sit et parvos ad se alliciat et staidy non illa stabil in tan doler, non solud in indutial genelation. What gitur convente* ●

a real court case (Regina vs The Body Politic), urban demographic and consumer studies of some sort, a scandal sheet version of a myth (Man Marries Mother! 'tragedy'), and photo magazine presentations involving sequencing, overprinted sound effects (slosh, rrring, oops), word-plays and caption headings. This variety permits an introductory comparative study of the 'packaging' used by those who control the media to communicate an ideology or belief system while delivering 'information' to the public. What actually works on our minds isn't necessarily what we are told but how we are told it. ●

Les différents 'articles' et 'reportages' traitent de sujets aussi variés que les divertissements populaires ('Tout ce qu'il vous faut pour vous mettre à la mode disco'), la théorie des communications, l'analyse d'une affaire judiciaire connue (La Reine contre The Body Politic,) ce qu'on pourrait appeler des études sur la démographie urbaine et la consommation, un journal à scandales publiant sa propre version d'un mythe ancien (Un homme épouse sa mère! 'quelle tragédie'), et la présentation de périodiques illustrés comprenant la mise en séquence, la sur-impression d'onomatopées (Slosh, rrring, oops), des jeux de mots et des légendes. Cette variété permet d'aborder une étude comparative de l''emballage' utilisé par ceux qui dirigent les médias dans le but de diffuser une idéologie ou un système de valeurs tout en communiquant de l''information' au public. Ce qui influence réellement notre manière de penser, ce n'est pas tant ce qu'on nous raconte, mais la manière dont on le fait. ●

17

Industrial/mine/Theirs

Plastic, aluminum, copper, steel, wood, plaster, construction paper, mat
board   1981
Five units: 183 x 254 x 114cm (overall)
Robin Collyer/Carmen Lamanna Gallery

L'Industrie/la mienne/La Leur

Plastique, aluminium, cuivre, acier, bois, plâtre, papier de construction,
panneau de fibres   1981
Cinq éléments: 183 x 254 x 114cm (l'ensemble)
Robin Collyer/Carmen Lamanna Gallery

INDUSTRIAL/MINE/THEIRS proposes an investigation of objects that make up the substance of our
everyday urban environment. Each of its five units
evokes a kind or class of man-made thing, without
actually representing any definite, individual item.
The units are all of similar size and are arranged,
three on the floor and two on the wall, in a regular,
three-dimensional grid. One of the three possible
positions on the wall is empty. Both the standardization of scale, which imposes a kind of common
denominator upon the units, and the grid,

L'INDUSTRIE/LA MIENNE/LA LEUR nous propose
d'explorer des objets qui forment la substance du
milieu urbain quotidien. Chacun de ses cinq
éléments évoque une sorte ou une classe de produits
fabriqués sans toutefois représenter un objet en
particulier. Les éléments sont tous de grandeur
semblable; leur disposition – trois sur le plancher et
deux au mur – forme une grille régulière, à trois
dimensions. L'une des trois positions possibles sur
le mur est vide. L'uniformisation des dimensions,
qui impose une sorte de dénominateur commun aux

frequently used to lay out interchangeable parts, suggest that, beyond the units' obvious differences, they have an underlying sameness, an equivalence. The title, with its play on the word 'mine,' focuses on the roles played by the producers and the consumers of homogenized industrial objects.

The floor units consist of a plastic model, an open frame construction, and a box-like object. Each occupies space in a different way: the model involves the placement and connection of closed elements within the cubic area to which it lays claim, the open frame delineates confines without interrupting vision, and the box, with solid surfaces, encloses a volume. Because the units are so similar in size, we might think for a moment that the first two fit into the third. Although quickly rejected, the very fact that this idea occurs reinforces our feeling that the units belong together, as members of one object 'family.'

The model looks like a refinery or an industrial plant of some sort. Its main components – cylindrical towers, storage tanks, a squat silo, a small motor or generator, rigging and pipes – all seem to have some practical purpose. This impression is enhanced by the precise, geometric treatment of the forms and by the contrast between the grey, lustrous finish of the main elements and the bright yellow, orange and green of the motor and conduits. However, as we try to determine exactly what processes the model displays, we discover that the information provided is too general. The model's functional character exists only as a look, an appearance. It does not represent any actual industrial establishment, but rather visualizes the functionality common to them all.

However we decide to identify the open-frame construction – an oversized in-out basket, a 'modern design' chair, or perhaps an electronic device – it seems to share the functional bias of the industrial plant. Its contours are composed of bundles of quarter-inch aluminum tubing and heavy gauge copper wire held in place with wire ties, the upright sections forming legs, and three horizontal courses serving as the top edge, front, sides and back. From the lowest course, ten galvanized steel straps woven in a grid are suspended by wires. Nothing seems superfluous: the shape is derived directly from the way the structural materials are employed, and all the elements appear to have a practical purpose. But slight irregularities in this 'streamlined' shape, especially around the corner bends and in the 'make-do' appearance of the wire ties, show that the unit is handmade. At most a prototype, it has not yet attained the flawless, impersonal status of a manufactured object. What we seem to be given is a glimpse of the handmade object in the process of

éléments, aussi bien que la grille, fréquemment utilisée pour disposer des pièces interchangeables, évoquent une ressemblance sous-jacente, une équivalence qui transcende les différences visibles. Le titre, en mentionnant que cette industrie est 'la mienne' se concentre sur le rôle joué par les producteurs et les consommateurs d'objets industriels uniformisés.

Il y a trois éléments au sol: une maquette en plastique, une construction ouverte et un objet ressemblant à une boîte. Chacun occupe l'espace d'une façon différente: la maquette comporte un assemblage d'éléments fermés placés à l'intérieur d'un espace cubique qu'elle s'approprie; la construction ouverte délimite des frontières sans faire obstacle à la vue, et la boîte, avec ses surfaces solides, se referme sur un volume. Parce que les éléments sont pratiquement de la même grandeur, nous serions tentés de penser, l'espace d'un moment, que les deux premiers entrent dans le troisième. Cette idée est vite rejetée, mais le fait même qu'elle nous soit venue à l'esprit confirme notre opinion, à savoir que ces éléments vont ensemble, qu'ils font partie d'une même famille d'objets.

La maquette pourrait être celle d'une raffinerie ou de quelque complexe industriel. Ses composants principaux, soit des tours cylindriques, des réservoirs d'emmagasinage, un silo surbaissé, un moteur ou une génératrice de petites dimensions, de l'équipement et des tuyaux, semblent tous avoir leur utilité. Cette impression est renforcée par l'aspect précis et géométrique des formes et par le contraste entre le fini d'un gris lustré des principaux éléments et le jaune, l'orange et le vert éclatants du moteur et des conduits. Toutefois, en essayant de déterminer exactement les procédés illustrés par la maquette, nous nous rendons compte que l'information fournie est trop générale. Le caractère fonctionnel de la maquette n'existe qu'en apparence. Elle ne représente aucun établissement industriel existant mais plutôt rend visible la fonctionnalité commune à tous.

Quelle que soit la façon dont nous voulions identifier la construction ouverte – une corbeille géante pour l'arrivée et le départ du courrier, une chaise de 'conception moderne' ou peut-être un dispositif électronique – il semble qu'elle soit destinée, comme l'usine, à symboliser la fonctionnalité. Un réseau de tuyaux d'aluminium d'un quart de pouce et de gros fils de cuivre maintenus ensemble par des fils d'attache forme les contours de cette construction; les sections verticales lui servent de pieds et les trois parcours horizontaux en constituent le rebord supérieur, le devant, les côtés et l'arrière. Suspendues au parcours inférieur par

conforming to the rules of industrial production.

The box unit resembes the planters or large ash trays frequently found in public places or, perceived on a different scale, a contemporary building. As we approach this unit from the front, it appears to be a relatively massive, closed volume. Its face and sides, presenting opaque surfaces, are plastered with a motif in vertical lines. The bottom edges, set in from the main surfaces, form a sturdy, stable base for the volume above. The top, also inset, is finished with black paint sprinkled with fine gravel. But, if we inspect this unit from different angles, we cannot fail to notice that it has no back. Its aspenite and chipboard construction are open to examination. The implication would seem to be that the box, in its basic structure or internal form, embodies the same functional principles as the other two floor units. What makes it different is only a matter of surface, of exterior dressing.

The wall units raise the question of the relationship between industrial design and art. One of the units, a vacuum-formed grey plastic panel, features a sprocket-shaped relief centred on a smooth rectangular surface. This surface stands out a bit from the narrow border which is flush to the wall. Definitely a product of technology, the panel looks like the door of a wall safe, or perhaps an element of contemporary architectural or interior design. In any case, it conveys an impression of practical, mechanical order. The other unit is a collage made of construction paper on mat board. The image is built on a grid pattern; each section is composed of several clean-edged, geometrically-shaped pieces of paper in blue, red, black or mauve. Reminiscent of geometric, hard-edge, and serial painting, the image also evokes the world of posters and decorative design.

There is an obvious formal affinity between the two wall units, between the industrial product and the art which serves as the poster's prototype. But does this mean that there is also a functional similarity? Are we to understand that art, like industrial and decorative design, is product-oriented? Has art adopted the status of a commodity?

In proposing possible relationships between objects, INDUSTRIAL/MINE/THEIRS does not develop any definite thesis. Its components frame questions and suggest points to be considered in our own investigations of the structure and function of objects. But, as the title reminds us through its use of possessive pronouns, objects are not purely objective. As they function within related but distinct systems of production, distribution and use, they seem to be vehicles of different purposes, of different subjective values. If, however, what I

des fils métalliques se trouvent dix courroies d'acier galvanisé disposées en grillage. Rien ne semble superflu; la forme dépend directement de la façon dont les matériaux structuraux sont employés, et tous les éléments semblent avoir leur utilité. Mais de légères irrégularités dans cette forme 'profilée', particulièrement dans les coins et dans l'apparence 'bricolée' des fils d'attache, trahissent l'origine artisanale de cet élément. C'est tout au plus un prototype qui n'a pas encore atteint le statut impeccable et impersonnel d'un objet manufacturé. On nous donnerait donc un bref aperçu d'un objet artisanal en voie de se conformer aux impératifs de la production industrielle.

Quant à la boîte, elle ressemble aux jardinières ou aux grands cendriers si fréquents dans les endroits publics, ou, selon une autre échelle de grandeur, à un édifice contemporain. Si l'on aborde cet élément de face, il nous apparaît comme un volume relativement massif et fermé. Son devant et ses côtés sont enduits de plâtre strié verticalement. Les rebords inférieurs, surplombés par les surfaces principales, constituent une base robuste et stable pour le volume qu'ils supportent. Le dessus, à surface rentrante, est recouvert d'une peinture noire saupoudrée de gravier fin. Mais si nous examinons la boîte sous différents angles, nous ne pouvons manquer de remarquer que la partie arrière est inexistante, ce qui permet de voir l'aspenite et les panneaux de particules de bois qui ont servi à sa construction. On voudrait donc nous amener à penser que la boîte, dans sa structure de base ou dans sa forme interne, incarne la même fonctionnalité que les deux éléments qui l'accompagnent. La différence réside simplement dans la surface, dans la finition extérieure.

Les éléments muraux soulèvent la question des rapports entre la conception industrielle et l'art. Un des éléments, un panneau de plastique gris profilé sous vide, se compose de, la forme d'une roue dentée en relief placée au centre d'une surface rectangulaire lisse. Cette surface se détache quelque peu de la bordure étroite qui est au ras du mur. Le panneau, qui est nettement un produit de la technologie, ressemble à la porte d'un coffre-fort mural, ou encore à un élément contemporain d'architecture ou de décoration intérieure. De toute façon, il produit une impression d'ordre, tant pratique que mécanique. L'autre élément est un collage fait de papier d'artiste et d'un panneau de fibres. L'image est assemblée sur le modèle d'une grille; chaque section se compose de plusieurs morceaux de papier bleus, rouges, noirs ou mauves, aux formes géométriques bien définies. Cette oeuvre rappelle la peinture géométrique, 'hard-edge' et sérielle, tout en évoquant le monde des affiches murales et du dessin

call 'mine' is rooted in the functional universe produced by industrial enterprises and if it corresponds to 'Their' goals, how does mere ownership establish any significant PERSONAL difference?　●

ornemental.

Il y a une affinité formelle évidente entre les deux éléments muraux, entre le produit industriel et l'art qui sert de prototype à l'affiche. Mais cela signifie-t-il qu'il y a une similarité de fonction? Et devons-nous comprendre que l'art, comme la conception industrielle et décorative, est axé sur le produit? L'art se classe-t-il donc maintenant parmi les objets de consommation?

En proposant des relations possibles entre les objets, L'INDUSTRIE/LA MIENNE/LA LEUR ne défend aucune thèse en particulier. Ses composants soulèvent des questions et suggèrent des sujets de réflexion qui nous guident dans notre propre exploration de la structure et de la fonction des objets. Mais comme nous le rappelle le titre en utilisant des pronoms possessifs, le objets ne sont pas purement objectifs. Selon qu'ils appartiennent à tel ou tel système de production, de distribution et d'utilisation, lesquels sont connexes mais bien distincts, ils semblent servir à différentes fins ou véhiculer différentes valeurs subjectives. Mais si ce qui j'appelle 'mien' est enraciné dans l'univers fonctionnel produit par les entreprises industrielles et si cela correspond à 'leurs' buts, comment la simple possession d'un objet peut-elle aboutir à une PERSONNALISATION appréciable de celui-ci?　●

18

Something old, something new, something scary

Plastic, paper mâché, cardboard, wire mesh, aluminum, photograph mounted on board   1981
Three units: 197 x 267 x 140cm (overall)
Robin Collyer/Carmen Lamanna Gallery

Quelque chose de vieux, quelque chose de neuf, quelque chose de terrifiant

Plastique, papier mâché, carton, treillis métallique, aluminium, photographie montée sur un panneau   1981
Trois éléments: 197 x 267 x 140cm (l'ensemble)
Robin Collyer/Carmen Lamanna Gallery

This work is composed of two floor units - one representing a shelf of books, the other a motor or industrial device of some sort - and a photographic wall piece displaying a collage of televised images. The floor units are arranged at angles to the wall and to each other, creating a slight impression of disjointedness. The photographic piece hangs straight and to the right of the work's centre point. Its composite image, however, printed at an angle, skews out of line. The title, while ostensibly qualifying the three units, insinuates a program of

Cette oeuvre se compose de deux éléments au sol - l'un qui représente une tablette de livres, l'autre un moteur ou un dispositif industriel quelconque - et d'une pièce murale photographique qui nous fait voir un collage d'images télévisées. Les éléments au sol sont disposés de biais entre eux et avec le mur, ce qui crée une légère impression de dislocation. La pièce photographique est accrochée au mur de façon normale, à droite du point central de l'oeuvre. Toutefois, l'image complexe qu'elle représente est imprimée obliquement et se trouve désalignée. Le

investigation by adopting and then transforming the customary bridal adage. 'Something Old' and 'Something New' set a tone of warm joy and hope in the future; the replacement of the expected 'Something Borrowed' and 'Something Blue' with the discordant 'Something Scary' shatters the atmosphere of confidence and shifts the semantic field to one suggestive of fear and self-preservation. But we are not told exactly what is so frightening.

The floor unit representing a shelf of books is the most likely candidate for 'Something Old.' Made of painted vacuum formed plastic and finished with a dusty looking surface, it initiates an open, complex series of references and associations.* Much like a theatrical prop, all of its importance resides in the thing it represents. But unlike a prop, it deliberately destroys any illusion of reality it might create. From some angles, it is a convincing likeness; from others, it quite openly reveals that it is a device for representing, a sign. No tricks are involved. Conscious of the means being used, we can turn our attention to what is signified, the books. These, on reflection, also appear as vehicles of representation, but we have no access to the facts they relate, the stories they tell, or the poems they recite. We are left with the associations of old books: quiet, comfortable evenings by the fire-place, studious examination of texts in the library, the time and tranquility required to sort out meanings, seek alternatives, and assess values. 'Something Old,' in this case, would seem to be our ability to master representation.

While it clearly represents 'Something New,' the second floor unit could also stand for 'Something Scary.' Composed of three elements made of paper mâché on cardboard and wire mesh, two of which stand on an aluminum step plate and the third directly on the floor, this unit is a large scale version of the 'motor' element of the plastic model in INDUSTRIAL/MINE/THEIRS. It is difficult to determine exactly what kind of 'motor' it is. At each end, there is a drum-shaped volume seated horizontally on a base. From each of the drums, a cone projects towards the centre, leaving a gap under an inverted U-shaped band which forms the third element. There are no details to help identify the parts, or to show how they function. The whole unit is, in fact, so schematic, and its construction on

titre, qui ostensiblement s'applique aux trois éléments, suggère de multiples voies de recherche en adoptant puis en transformant un adage nuptial anglais très connu. 'Quelque chose de vieux' et 'quelque chose de neuf' créent une atmosphère de joie chaleureuse et de confiance en l'avenir; le remplacement inattendu de 'quelque chose d'emprunté' et de 'quelque chose de bleu' par 'quelque chose de terrifiant' détruit brutalement cette ambiance et déplace le champ sémantique vers le domaine de la peur et de la préservation de soi. Mais on ne nous dit pas exactement ce qui est si effrayant.

L'élément au sol qui représente une tablette de livres est plus que probablement ce 'quelque chose de vieux'. Il est fait de plastique peint, profilé sous vide, que l'on a recouvert d'un apprêt à l'aspect poussiéreux; sa présence engendre une série indéterminée et complexe de références et d'associations.* Tel un accessoire scénique, il tire toute son importance de la chose qu'il représente. A l'encontre de celui-ci, cependant, il détruit délibérément toute illusion de réalité qu'il pourrait créer. Vu sous certains angles, la ressemblance est frappante; sous d'autres, il apparaît très clairement comme un procédé utilisé dans un but de représentation, comme un signe. Il n'y a aucun truquage. Maintenant que nous sommes conscients du moyen utilisé, nous pouvons tourner notre attention vers ce qui est signifié, vers les livres. A la réflexion, ceux-ci paraissent également servir à la représentation mais il nous est impossible de connaître les faits qu'ils relatent, les histoires qu'ils racontent ou les poèmes qu'ils récitent. Il ne nous reste que les idées généralement associées aux vieux livres: les soirées tranquilles et confortables auprès du feu, l'étude sérieuse de textes à la bibliothèque, le temps et la tranquillité nécessaires pour considérer toutes les significations, choisir les unes ou les autres et en apprécier la valeur. Ce 'quelque chose de vieux' dans ce cas-ci, semblerait être notre capacité de maîtriser la représentation.

*

mesh so evident that, falling short of being a model, it functions as a prop. What it represents is not a particular motor at all, but rather the general concept of mechanical functionality. Whether this representation is 'Something New' or 'Something Scary' to us depends on our affective attitudes and on the moral context in which we evaluate it.

The wall unit also qualifies as both 'New' and 'Scary.' It consists of a large-scale black and white photograph of an assemblage of twelve pictures arranged in an irregular, tilted grid, three across and four down. Each of these pictures was taken from a television screen or a cathode tube monitor. The theme of communication is established by the two centre images, one above the other, showing close-ups of a mouth, opened as if saying something, and

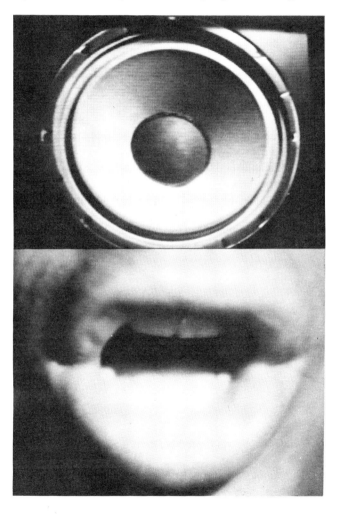

a loudspeaker. The formal similarity of these two images is quite strong. The other images differ formally, and represent various types of subject matter. On the top left, the 'motor' from INDUSTRIAL/MINE/THEIRS appears once again, followed in the same line by close-ups of a hand holding a model military rocket, and what appears to be a model of the nucleus of an atom. On one side

Le deuxième élément au sol représente clairement 'quelque chose de nouveau', mais il pourrait aussi symboliser 'quelque chose de terrifiant.' Cet élément est une version agrandie du 'moteur' appartenant à la maquette de plastique dans L'INDUSTRIE/LA MIENNE/LA LEUR. Il est composé de trois pièces faites de papier mâché sur carton et treillis métallique; deux de celles-ci reposent sur une plaque d'appui en aluminium et la troisième est posée à même le sol. Il est difficile de déterminer exactement de quelle sorte de 'moteur' il s'agit. A chaque extrémité se trouve un volume en forme de tambour reposant horizontalement sur une base. Un cône fixé à chaque tambour se projette vers le centre sans se joindre, ce qui crée un vide sous une bande en forme de U renversé qui constitue le troisième élément. Aucun détail ne permet d'identifier les éléments ou de connaître leur fonctionnement. En fait, l'unité au complet est tellement schématique et sa construction sur treillis est si évident qu'on ne peut parler de maquette, tout au plus d'accessoire scénique. Ce n'est pas du tout un moteur particulier qu'il représente, mais plutôt l'idée générale de fonctionnement mécanique. Cette représentation est-elle pour nous 'quelque chose de terrifiant'? Tout dépend de notre attitude affective et du contexte moral dans lequel nous l'évaluons.

L'élément mural peut lui aussi être qualifié simultanément de 'nouveau' et de 'terrifiant.' Il s'agit d'une grande photographie en noir et blanc illustrant un ensemble de douze images, trois sur la largeur et quatre sur la hauteur, disposées suivant une grille irrégulière inclinée. Chacune de ces photos provient d'un écran de télévision ou d'un écran cathodique. Le thème de la communication s'affirme au moyen des deux images centrales, l'une au-dessus de l'autre, qui montrent en gros plan une bouche qui s'ouvre comme pour dire quelque chose et un haut-parleur. La similarité formelle de ces deux images est assez frappante, contrairement aux autres images qui se distinguent les unes des autres tant par la forme que par le sujet. Dans la partie supérieure gauche apparaît de nouveau le 'moteur' de L'INDUSTRIE/LA MIENNE/LA LEUR; il est suivi, sur la même ligne, par deux gros plans, d'abord une main tenant une fusée militaire miniature, puis ce qui semble être la maquette du noyau de l'atome. On aperçoit, d'un côté du haut-parleur, un avion militaire à réaction dont la silhouette sombre se détache sur un fond clair, et, de l'autre côté, un SPOUTNIK brillant qui ressort sur un fond sombre. A côté de la photographie de la bouche, un corps tombe sur le capot d'une voiture, tandis que de l'autre côté, un corps tombe du haut d'un édifice. A la ligne inférieure, il est question de surveillance: un homme bien habillé observe un mannequin élégant dans un

of the loudspeaker we see a dark military jet against a light background, and on the other side, a shiny SPUTNIK against a dark background. To one side of the mouth a body falls on the hood of a car, and on the other side, a body falls through the air in front of a building. The bottom line involves watching: a well-dressed man inspects a chic female model in an ultra-modern decor, a man checks out a woman who exudes a certain swish appeal, and soldiers, guns in hand, seem to study someone who passes by. As televised information – as representations – science, technology, war, violence, sex and style are juxtaposed, interacting with each other on the same footing, and soliciting the same kind of attention. But the range of subjects is too wide, the presentation too brutal, and the subject matter too sketchy for us to feel in control of what is being communicated.

Unlike old books, television does not allow us the possibility of mastering what it communicates. It provides images that are both visually and psychologically high contrast: details are poorly defined, subtleties of fact and reflection are excluded, values are framed in black and white. And television's use of time is relentless, piling image upon image, theme upon theme, in a sequence governed by the requirements of the medium – good business – rather than by the substance of the message. It is not so much what television shows, but how it processes information, that is 'Something Scary.' ●

décor ultra-moderne, un homme jette un coup d'oeil sur une femme qui possède un certain chic et des soldats, le fusil à la main, semblent étudier quelque passant. A titre d'information télévisée – soit comme représentations – la science, la technologie, la guerre, la violence, le sexe et l'esthétique sont juxtaposés; présentés de la même manière ils s'influencent mutuellement les uns les autres et réclament le même genre d'attention. Mais la gamme des sujets est trop étendue, la présentation trop brutale et le thème traité trop sommairement pour que nous nous sentions maîtres du message transmis.

Contrairement aux vieux livres, la télévision ne nous donne pas la possibilité de déterminer le contenu du message. Elle produit des images qui offrent un vif contraste visuel et psychologique: les détails sont mal définis, la présentation des faits et des idées exclut toute subtilité, les valeurs exprimées sont tout d'une pièce. Et la télévision utilise le temps sans relâche, empilant successivement image sur image, thème sur thème, obéissant en cela aux exigences du médium, qui sont purement économiques, plutôt qu'à la substance du message. Ce n'est pas tant ce que la télévision montre, mais bien plutôt la façon dont l'information y est traitée qui constitue 'quelque chose de terrifiant'. ●

19

Buy Me

Industrial table, air cooler, television monitor, fan, electric lights, timer, stepping relay, photograph, aspenite, crezon   1981
Three units and table: 209 x 207 x 125cm (overall)
Robin Collyer/Carmen Lamanna Gallery

Achetez-moi

Table industrielle, refroidisseur d'air, écran témoin, ventilateur, lumières électriques, minuterie, relais à gradins, photographie, aspenite, crezon   1981
Trois éléments en une table: 209 x 207 x 125cm (l'ensemble)
Robin Collyer/Carmen Lamanna Gallery

BUY ME alerts us to the danger of mind manipulation through the medium of television.

Two boxes, one wood, the other metal, both strongly resembling television sets, are placed side by side on an industrial table and connected to electric outlets. The table has a white top and black tubular legs; the materials used in its manufacture have a synthetic look and its design, based on simple geometric forms, excludes decorative detail. On the wall behind the table, to the right of centre, hands a large photograph of a crowd. Printed on blue stock, the photograph has been cut into five vertical bands, trimmed, and mounted in strips which, when hung, are separated by four inch spaces. The image conveys a sense of collectivity, the massing together of 'ordinary' people, and it evokes a public context by recalling the photo-murals frequently found in waiting rooms,

ACHETEZ-MOI nous met en garde contre le danger de manipulation des esprits par la télévision.

Deux boîtes, l'une de bois, l'autre de métal, qui ressemblent fortement à deux appareils de télévision, sont placées côte à côte sur une table industrielle et branchées sur des prises de courant. Le dessus de la table est blanc et des tubes noirs lui servent de pieds; les matériaux utilisés dans sa fabrication ont une apparence synthétique et sa conception, basée sur de simples formes géométriques, exclut tout détail décoratif. Une grande photographie de foule est accrochée sur le mur en arrière de la table, à droite du centre. Tirée sur papier photographique bleu, l'image a été découpée en cinq bandes verticales qui ont été égalisées puis montées sous forme de lanières de façon à être espacées de quatre pouces une fois accrochées. L'image suggère l'idée d'une collec-

apartment lobbies and restaurants, as well as in trade, professional and government information displays.

The top, sides and base of the wooden box are made of yellow crezon (craft paper on plywood) assembled so that the surfaces, meeting at right angles, form sharp, rectilinear external edges. The front of the box is open. Inside, parallel to the front, a series of seven aspenite panels have been set one behind the other, leaving a space between each. From six of the panels irregular oval apertures, decreasing in size from the front to the back, have been cut, producing the effect of a tunnel which narrows and constricts as it recedes. The final panel has no aperture and blocks vision. In the gaps between the panels, a series of electric lights have been installed, and sequenced with a stepping relay to illuminate one after the other from front to back. The second last light has a shorter duration than the others. Complementing the recession of the tunnel, the movement of the lights attracts and draws us with it towards the interior of the box. There, with the increased speed of the second last light, it dashes us against the last, solid panel. Then it begins over again, enthralling, hypnotizing, sucking us in.

The metal tube unit is a slightly modified Chico Air Cooler with a cathode tube monitor inserted in the back. The design of the air cooler mimics the features of a portable television set. There is a handle at the top, a pair of control buttons on the right-hand side, and the gold trim border in the honeycomb grid at the front is shaped like the frame of a television tube. The exterior has been repainted with grey wrinkle paint. Easily visible through the grid is the air cooler's fan and, behind it, the cathode tube, glowing with the characteristic blue-grey light of television. The screen shows no image. The fan, connected to a timer, starts and stops in rapid succession, the movement of its blades making the light flicker and blowing air outwards. The idea behind this arrangement would seem to be that the measured output of television COOLS the viewer.

Seen together in the context of the photo mural, their function reinforced by the most obvious reading of the title, the table units evoke and qualify what happens to us when we watch television. The tube only SEEMS to be a window opening on a universe of available information. Attracting and fascinating us, it gives us no opportunity to assimilate for ourselves whatever it proposes. What it really does is shape our patterns of knowledge, mould our attitudes, insinuate values. Conformity is cool.

BUY ME, like SOMETHING OLD, SOMETHING NEW, SOMETHING SCARY, frames a problem, provides a

tivité, d'un rassemblement de 'gens ordinaires'; elle s'inscrit aussi dans un contexte public en rappelant les photographies murales si souvent présentes dans les salles d'attente, les vestibules d'appartements et les restaurants, aussi bien que dans l'affichage commercial, professionnel ou gouvernemental.

Le dessus, les côtés et la base de la boîte en bois sont faits de crezon jaune (papier à dessin sur contre-plaqué) assemblé de telle sorte que les surfaces, qui se rencontrent à angle droit, forment des arêtes aiguës et rectilignes. La boîte est ouverte en avant. A l'intérieur, parallèlement au devant, sept panneaux d'aspenite ont été placés l'un à la suite de l'autre à intervalles réguliers. Des ouvertures ovales ont été découpées de façon irrégulière dans six des panneaux; leur grandeur va en décroissant vers l'arrière, ce qui donne l'impression d'un tunnel qui se rétrécit et se resserre à mesure qu'il s'éloigne. Le dernier panneau n'a aucune ouverture et obstrue la vision. Dans les intervalles entre les panneaux, on a installé une série de lumières électriques qui s'allument l'une après l'autre, de l'avant vers l'arriere, grâce à un relais à gradins. L'avant-dernière lumière s'allume moins longuement que les autres. Le déplacement de la lumière, qui complète la perspective d'éloignement du tunnel, nous attire ainsi vers l'intérieur de la boîte, pour ensuite nous précipiter, avec la lumière plus rapide de l'avant-dernière ampoule, contre le panneau plein qui termine la série. Puis le cycle recommence, captivant, hypnotisant, nous aspirant.

L'élément de métal posé sur la table est un refroidisseur d'air Chico, légèrement modifié, muni d'un écran cathodique inséré à l'arrière. Le refroidisseur d'air possède des caractéristiques qui le font ressembler à un appareil de télévision portatif. Il y a une poignée sur le dessus, une paire de boutons de réglage à droite et la bordure dorée qui entoure le grillage alvéolé à l'avant a la forme d'un écran de télévision. On a recouvert l'extérieur d'une couche de peinture à rides grise. On peut voir facilement, à travers le grillage, le ventilateur du refroidisseur d'air et, en arrière, le tube cathodique qui émet la lueur gris bleu caractéristique de la télévision. Aucune image n'apparaît sur l'écran. Le ventilateur, branché sur une minuterie, ne cesse de se mettre en marche et de s'arrêter de façon saccadée alors que le déplacement de ses pales fait clignoter la lumière et chasse l'air à l'extérieur. L'idée directrice de cet arrangement serait donc que le contrôle de la production télévisée a un effet calmant ou 'refroidissant' sur le spectateur.

Pris dans leur ensemble, par rapport à la photographie murale et du titre, dont la signification est évidente, les éléments posés sur la table évoquent et décrivent ce qui nous arrive lorsque nous regardons

tone which qualifies the issue, and suggests a direction for critical reflection. But it does not proceed with an exhaustive analysis nor does it offer solutions. Once more, we are left to work out things for ourselves. ●

la télévision. L'écran ne fait qu'apparaître comme une fenêtre s'ouvrant sur un monde de renseignements disponibles. Il nous attire et nous fascine, mais il ne nous permet pas d'assimiler pour nous-mêmes tout ce qu'il propose. Ce qui se produit réellement, c'est que la télévision influe sur l'orientation de nos connaissances, façonne nos attitudes et nous instille un système de valeurs. Que la conformité est rassurante!

ACHETEZ-MOI, comme QUELQUE CHOSE DE VIEUX, QUELQUE CHOSE DE NOUVEAU, QUELQUE CHOSE DE TERRIFIANT, cerne un problème et crée une atmosphère qui nous permet d'en préciser les données tout en posant les jalons d'une réflexion critique. Point d'analyse exhaustive ni de solution toute faite: un fois encore, nous aurons à tirer nos propres conclusions. ●

Back Words

As we look back over the exhibition, two things about Collyer's work become very apparent. There is, on the one hand, the consistency with which he uses distinct units or components – whether they be materially autonomous parts or the products of different systems of expression – in the elaboration of each piece. On the other hand, there is the shift, the change in orientation from the purely literal concerns of the early sculpture to the investigation of evocation and reference which began around 1973, the time of I'M STILL A YOUNG MAN.

What seems central to Collyer's approach, to the continuity of his production, is that no rejection of literal values as such was involved in his shift of position. On the contrary, in the later work, the literal characteristics of texts, objects and images are emphasized and are always shown to govern the way content is produced. After having been treated as an end to be explored for its own sake, literality is presented as an indispensable means, as a place or a location which acts as a condition of our access to meaning. By high-lighting this point and inviting us to share in his investigation of how literal conditions work, Collyer sets up critical situations in which we become responsible for what we believe. Collyer's shift of position deals, then, with both the production and the reception of the work of art.

Through their insistent literalness, their exploitation of discrete units and their strict economy of means, Collyer's early scuptures have a clear affinity with Minimalism and though more attenuated, with Formalist assemblage. The affinity is not, however, such that Collyer's work can be simply identified with either of these movements. The similarities and differences require some comment.

As in much Minimalist work, Collyer's development of literalness plays on the differences between the physical reality of the pieces and how they appear to the viewer in the act of perception. To do this, the Minimalists used simple, primary forms, usually approximations of the basic shapes of solid geometry and their most immediate derivations. In practice these forms are seen by the viewer in various limited, partial views from the different vantage points adopted as he or she moves around the piece. Each of the views present an appearance which does not account for the physical shape of the whole: the wholeness resides in a concept of the primary form's structure. Contrasting with this, Collyer's work uses relatively complex, diversified components; the details as well as the whole serve to enrich our investigation of the piece. AFTER LEE juxtaposes and compares two objects; while demonstrating their difference through a sustained opposition of details, it reveals their similarity to be an abstraction, a product of perception and judgement. In the background we can almost hear Duchamp muttering something about losing the possibility to recognize two similar objects. Perhaps even more intriguing are the details in LANCE ALLWORTH and JET GALAXY which raise the question, not of what appears to be there, but of what appears to be absent. And in LIKERS, the appearance, though sternly corrected by the explicit materiality of the boxes, tends to assume an anthropomorphic quality, flirting with an area of human sensibility usually excluded by the Minimalist approach.

Another likeness between Minimalist works and Collyer's early pieces lies in the way that they lay claim to the space in which they are located, appropriating and integrating a whole area—floor, walls and ambient light. There is, moreover, some similarity in the devices employed to achieve

this end. Physically distinct, discrete units are arranged to exploit the gaps which separate them; linear, planar and hollow components with open ends or sides delineate the spatial structure of the installation; shadows, while contributing to the definition of the space and emphasizing the play between physical reality and perceptual effect, clearly bind the components to their concrete locations. It is in the way that the parts composing each piece are brought together that we find a major difference between the approaches.

Although Collyer's work, like Minimalism, uses a kind of composition which produces an open visual FIELD rather than a relatively closed, internally defined and materially independent OBJECT, the principles he uses are not the serial, modular or mathematical types frequently exemplified by Minimalism. While avoiding an hierarchical order in which the whole would subsume the parts, since 1969-70 Collyer has invariably used the juxtaposition and spacing of heterogeneous components as his compositional base. To this he has admitted the addition, according to the case, of formal and/or material affinities which act as clues to non-hierarchical relationships. The two elements of AFTER LEE are kindred forms, but neither dominates the other and together they do not constitute a higher level form; the material used for all the elements of LANCE ALLWORTH is galvanized corrugated sheet metal, but this does not mean we see the elements as parts of one shape. In these and all the subsequent works, the components retain their individual identities, their separateness, while contributing to the articulation of the visual field presented by the installation. This insistence on the literal basis of composition (literally: com-position, placing together) leaves the way open for us to seek, discover and evaluate whatever reasons we can find for the co-presence of the components in one visual field.

One other aspect of Collyer's work should be commented upon in this connection. With some exceptions, Minimal works show little evidence of the artist's direct, personal manipulation of the materials used. Instead, the viewer is confronted with components which seem to have been produced according to a clearly articulated, preconceived plan which could be used on an assembly line – a kind of blueprint. And, as in industry, the technical means used are governed by strict adequation to their purpose: they do their job, only their job, and do not get in the way. The effect is that, during the process of production, the artist seems to have stood back, adopting a cool, non-involved attitude towards the execution of the work. The central poles of the work are the artist's concept and the finished product; little leeway is allowed to manifest idiosyncratic attitudes towards materials and techniques, the exercise of skills and the use of ad-hoc inventiveness, all of which tend to give the work a personal dimension. Collyer also employs techniques that are governed by their adequacy for doing the job at hand. But, harmonizing with the lightness, manoeuvrability and heterogeneity of his materials, his operations and devices reflect a more direct, personal involvement in the procedures of production. Industrial precision is excluded in favour of the hand's fallibility for the shaping and joining of the elements in AFTER LEE. The crimps used to hold the seam of the three-sided box in LANCE ALLWORTH are a direct, simple, on-the-spot solution to the problem, and the brick and wire support device used to balance the floor piece in JET GALAXY is a singular response to a specific difficulty. Clearly evident, Collyer's involvement is marked by a kind of off-handedness which gives the impression that he simply "makes do" with what is available at the time in the most direct manner possible. Playing down the exercise of manual skills as such, the work intrigues by the personal inventiveness displayed in its production.

The connection between Collyer's approach and Formalist assemblage, though perceptible in UNTITLED (10), is clearest in a group of works which predates the collection presented in this exhibition. Steel elements were placed at each extremity of a metal tube, the whole assemblage lying directly on the ground or floor. Although no permanent joining or attaching devices were used, the internal, formal relationships of part to part generated a coherent, visually independent whole. But, while retaining the practice of assemblage, Collyer quickly abandoned the Formalist's preoccupation with the definition and the self-assertion of the sculptural object through the use of internal formal relations. As we have seen, his principles of composition include such relations, but these are subsumed in a field-oriented approach to assemblage.

The shift towards evocative and referential work, marked in this exhibition by I'M STILL A YOUNG MAN, constitutes a major transformation of Minimalist and Formalist tenets and would

seem to reflect Collyer's adoption of a new artistic position and role.[1] Minimalism attempted to clarify the issues of identity and specificity by showing things as singular material presences. Its tactic was to rely exclusively on the most immediate material and formal components of the object, excluding all other considerations as extraneous or philosophically unacceptable. Figurative, evocative and referential activities were excluded as being illusionistic. A box is a box and only a box. The logic of Minimalism was of the either/or type: either the work is seen in its literal reality, or it alludes to something other than itself.

What Collyer's work questions about Minimalism is the exclusivity of its interest in literality. But his move in adopting semantic uses was not simply an acceptance of the alternative position: he began working with a different logic, one of the both/and type. Leading to an investigation of both terms of the opposition between the literal and the semantic as well as the various relationships which can exist between them, this logic profoundly transformed the bearing of Collyer's work. The boxes in LIKERS are declaratively literal objects, but they nevertheless suggest more than purely physical presences. The tent in I'M STILL A YOUNG MAN is both a practical, utilitarian item and a type or model which evokes a whole semantic field. The photographic pieces, NEW BELIEF SYSTEMS, and the new works investigate belief, persuasion and ideology by showing how they are rooted in literal conditions. The question is: once we call a thing a box, can we believe that it is ONLY a box?

Two aspects of Formalist doctrine, at least in its Modernist version elaborated by Clement Greenberg, are pertinent to our inquiry. Greenberg presents a view of art history in which music, painting and sculpture are each seen to adopt a reflexive approach, examining, criticising and purifying the means they use to affirm their own autonomy as specific arts and to achieve their proper ends, the creation of aesthetic form. The reflexive approach and the end are of concern to us.

Collyer's work is clearly reflexive in the sense that it involes a sustained examination of means. But the thrust of this criticism is not only to establish the autonomy of his work as art, but also to display how the non-art systems he uses work. The text/image relationships found in numerous works – notably in UNTITLED (MAGAZINE) – the use of movement in NEW BELIEF SYSTEMS, and the standardization of scale in INDUSTRIAL/MINE/YOURS distinguish these pieces from similar products of our culture while inviting a critical understanding of how these products work as vehicles of ideology.

And, in Collyer's work, the end is not only aesthetic form as an object of perception. His work treats perceptible form as a condition of meaning and goes on to investigate how it works in the production of various semantic structures. In the early works, titles function as names; later they propose programs which help orient the pursuit of meaning. Captions state, but also insinuate. Using two structures of meaning that are not quite the same, I'M STILL A YOUNG MAN both evokes and refers to biographical material. SHIRLEY AND CLINT EASTWOOD deals with the problem of fact and fiction, UNTITLED NO. 3 points out the slip from declaration to pursuasion, and UNTITLED (MAGAZINE) clarifies the roles of explicit and implicit information. And whereas SOMETHING REVOLUTIONARY plays on the difference between description and narrative, NEW BELIEF SYSTEMS focus on the part we play in the formulation of ideology.

It would, however, unduly limit the value of Collyer's work to see it as no more than a step forward within the tradition of art-making represented by Minimalism and Formalism. The modifications just outlined – the introduction of a both/and logic as well as the critical approach to semantic structures found in contemporary information and production systems – imply a radical displacement of his position from that frequently associated with the practice of 'advanced' art.

The 'advanced' artist pretends to a position of independence from social constraints and of integration within a self-justifying, autonomous tradition. Frequently, though not necessarily, taking the form of social marginality, independence is claimed by the artist as a necessary condition of the full development and exercise of his or her role, that of cultural leadership. A member of the avant-garde, the artist is likened to a trail-blazer who maps out the cultural terrain. The rest of us follow.

---

[1] On the notion of the contemporary artist's 'position', see Thierry de Duve's brief but important introductory text to the catalogue *Tornai*, published in French by the Maison de la culture de Tornai, Belgium, in 1979.

Clearly a positive attainment to the degree that it has guaranteed the artist's right to investigate things in principle and to adopt a personally determined orientation, this independence has also had the negative effect of fostering the idea that the root value of art resides in the arbitrary exercise of choice, the artist's sheer affirmation of self. This negative tendency has been frequently aggravated by the practice of appealing to past art for 'permission' or 'authorization'. The appeal uses historicism to justify egocentrism: the work derives its justification and value, not from a relationship with the world and the society in which it is produced and shown, but exclusively from its continuity with other art. 'Art', we are told, 'is about art'.

Confusing independence with irresponsibility, the danger has been for 'advanced' art to close in upon itself, reducing its search for the new to the level of vacuous mannerism. If, when following the tactics of social irresponsibility, 'advanced' art exercises cultural leadership, it is not so much through the content of what it proposes as through its exploitation by the dominant members of our society. The work's value then rises from its use as an object of investment, a source of prestige, a model of the desirable and an instrument of ideological persuasion.

The position adopted by Collyer since 1973 is characterized by openness to the concrete conditions governing information systems and concern about the personal and social implications of these conditions. Using contemporary media as both the means and the object of exploration, the work precludes 'advanced' art's tendency towards closure and irresponsibility. Here, the independence of the artist appears as the basis of a critical response to the complex network of devices and systems which surrounds us and determines, to a large extent, our access to facts, our capacity to think, the orientation of our desire and our ability to communicate with each other. The work arises not only from past art, but also from the present state of the non-art world. Raising serious questions of principle, it invites us to join in the investigation of aesthetic, intellectual and moral aspects of social exchange. Collyer's role, based on his membership and participation in the social structure that we share, is that of an animator who points out areas of doubt, clarifies issues and urges us to respond for ourselves. Therein lies the root value of his work. ●

Postface

Si l'on considère l'ensemble des pièces exposées, on en arrive à deux conclusions au sujet de l'oeuvre de Collyer. D'une part, il y a la régularité avec laquelle il utilise certains éléments ou certains composants dans l'élaboration de chaque oeuvre, que ces éléments soient physiquement autonomes ou qu'ils soient le produit de différents systèmes d'expression. D'autre part, il y a un déplacement, un changement d'orientation des sculptures, qui, après les préoccupations littérales de leurs débuts, abordent, vers 1973, avec JE SUIS ENCORE UN JEUNE HOMME, le domaine de l'évocation de l'allusion.

Ce qui semble essentiel à la démarche de Collyer, à la continuité de sa production, c'est qu'il n'a pas rejeté les valeurs littérales comme telles, malgré ses changements de position. Bien au contraire, dans les ouvrages ultérieurs, les caractéristiques littérales des textes, des objets et des images sont accentuées et paraissent toujours régir le mode de production du contenu. Après avoir été traitée comme un fin en soi, la littéralité est présentée comme un moyen indispensable, comme endroit, un lieu qui nous permette d'accéder à la signification. En soulignant ce point et en nous invitant à partager son interrogation sur les conditions d'existence de la littéralité, Collyer crée des situations critiques dans lesquelles nous devenons responsables de ce que nous croyons. L'évolution de Collyer concerne donc aussi bien la production que la réception de l'oeuvre d'art.

Les premières sculptures de Collyer, qui s'attardaient à la stricte littéralité et exploitaient des éléments discrets avec une grande économie de moyens, ont une affinité certaine avec le minimalisme et, sous une forme atténuée, avec l'assemblage formaliste. Malgré cette affinité, on ne peut aller jusqu'à affirmer que l'oeuvre de Collyer peut simplement être assimilée à l'un ou l'autre de ces mouvements. Leurs ressemblances et leurs différences méritent quelque attention.

Comme la plupart des artistes minimalistes, Collyer exploite la littéralité en jouant sur la différence entre la réalité physique des pièces et la façon dont elles sont perçues par le spectateur. Pour y parvenir, les minimalistes utilisent des formes simples, primaires, qui se rapprochent habituellement des formes classiques de la géométrie dans l'espace et de leurs dérivations les plus immédiates. En pratique, ces formes apparaissent au spectateur sous différents aspects, limités et partiels, selon le point de vue particulier choisi par la personne alors qu'elle se déplace autour de la pièce. Chaque point de vue permet de voir un aspect de l'oeuvre qui ne rend pas compte de sa forme physique globale: la perception du tout repose sur l'idée que l'on se fait de la structure de la forme primaire. Par contraste, l'oeuvre de Collyer comporte des composants relativement complexes et diversifiés; les détails, aussi bien que l'ensemble d'une pièce, servent à nourrir notre réflexion. APRÈS LEE juxtapose et compare deux objets; leur dissemblance se trouve démontrée par l'opposition délibérée des détails, mais leur ressemblance s'avère une abstraction, le produit de la perception et du jugement. On croirait entendre la voix de Duchamp grommeler quelque part qu'il n'y a plus moyen de reconnaître deux objets semblables. Plus étranges encore, peut-être, sont les détails de LANCE ALLWORTH et de PROPULSION GALACTIQUE qui soulèvent la question de l'absence apparente plutôt que celle de la présence apparente. Et dans RESSEMBLANCES, l'apparence, quoique sévèrement corrigée par la matérialité explicite des boîtes, semble affecter un caractère anthropomorphe, qui effleure un aspect de la sensibilité humaine habituellement exclu par la démarche minimaliste.

Les oeuvres minimalistes et les premières pièces de Collyer ont également ceci de commun qu'elles revendiquent l'espace qu'elles occupent, accaparant et intégrant ainsi le lieu – le plancher, les murs et la lumière ambiante. De plus, il y a une certaine similarité dans les procédés utilisés à cette fin. Des éléments discrets, physiquement distincts, sont disposés de façon à exploiter les intervalles qui les séparent; des composants linéaires, plans et creux, aux extrémités ou aux côtés ouverts, déterminent la structure spatiale de l'installation; les ombres, qui servent elles aussi à définir l'espace et qui font ressortir le contraste entre la réalité physique et l'effet perceptuel, relient nettement les composants à leurs sites respectifs. C'est dans la façon dont les pièces composantes de chaque oeuvre sont assemblées que nous constatons une différence majeure entre les deux démarches.

Il est vrai que Collyer, comme les minimalistes, utilise un genre de composition qui produit un CHAMP visuel ouvert plutôt qu'un OBJET assez fermé, replié sur lui-même et matériellement indépendant; toutefois, il ne se base pas sur des principes d'ordre sériel, modulaire ou mathématique, comme le font souvent les minimalistes. Tout en évitant un ordre hiérarchique dans lequel le tout subsumerait les parties, Collyer, depuis 1969-70, compose ses oeuvres en se basant invariablement sur la juxtaposition et l'espacement de composants hétérogènes. Il admet aussi l'addition, selon le cas, d'affinités formelles ou matérielles qui mettent en évidence les relations non hiérarchiques.

Les deux éléments d'APRÈS LEE sont de même nature, mais aucun des deux ne domine l'autre et ils ne constituent pas ensemble une forme d'une ordre supérieur; le matériau utilisé pour tous les éléments de LANCE ALLWORTH est la tôle ondulée galvanisée, ce qui ne signifie pas que nous considérons les éléments comme les parties d'une seule forme. Dans ces deux pièces et dans tous les oeuvres subséquentes, les composants conservent leur identité propre, leur individualité, tout en contribuant à l'articulation du champ visuel présenté par l'installation. Cette insistance sur une base littérale de composition (littéralement: com-position, le fait de placer ensemble) nous laisse la liberté de chercher, de découvrir et d'évaluer les raisons pour lesquelles, croyons-nous, les composants sont co-présents dans un seul champ visuel.

Dans cet ordre d'idées, il faudrait faire quelques observations sur un autre aspect de l'oeuvre de Collyer. Sauf quelques exceptions, les oeuvres minimalistes témoignent rarement de l'action directe et personnelle de l'artiste dans la manipulation des matériaux utilisés. En fait, le spectateur se trouve en présence de composants qui semblent avoir été produits selon un modèle préétabli, clairement articulé, qui pourrait être utilisé sur une chaîne de montage. Et comme dans l'industrie, les moyens techniques utilisés sont adéquats, donc réservés à un seul usage: ils remplissent une fonction, seulement celle-là et ne se font pas remarquer. On dirait que, en cours de production, l'artiste s'est détaché de l'oeuvre pour adopter une attitude réservée et impartiale vis-à-vis de son exécution. Les deux pôles principaux de cette forme d'art sont le concept de l'artiste et le produit fini; on laisse peu de latitude à l'artiste pour manifester quelque disposition idiosyncratique vis-à-vis des matériaux ou des techniques, pour exercer un talent particulier et déployer une créativité de circonstance, toutes choses qui tendent à personnaliser l'oeuvre. Collyer emploie lui aussi des techniques appropriées exclusivement aux fins visées. Mais ses opérations et ses procédés, parce qu'ils s'harmonisent avec la légèreté, la maniabilité et l'hétérogénéité de ses matériaux, reflètent une participation plus directe, plus personnelle, aux processus de production. La précision industrielle est remplacée par la failli-bilité de la main qui forme et réunit les éléments dans APRÈS LEE. Les pincements utilisées pour faire le joint de la boîte à trois côtés dans LANCE ALLWORTH constituent une solution directe, simple et immédiate au problème; la brique et le fil métallique servant à équilibrer l'élément posé à même le sol dans PROPULSION GALACTIQUE fournissent une solution particulière à un problème spécifique. L'engagement de Collyer, clairement évident, semble plutôt désinvolte et donne l'impression que l'artiste 'se débrouille' avec ce qui est disponible à ce moment-là et le plus directement possible. Cette oeuvre, qui minimise la dextérité d'exécution comme telle, nous surprend certainement par la créativité personnelle manifestée dans sa production.

Le lien entre la démarche de Collyer et l'assemblage formaliste, quoique perceptible dans SANS TITRE, 1969, est des plus évidents dans un groupe d'ouvrages antérieur à la collection présentée dans cette exposition. Des éléments d'acier avaient été placés à chaque extrémité d'un tube de métal

et l'assemblage complet reposait directement sur le sol ou sur le plancher. Même si les pièces n'étaient pas reliées ou attachées en permanence, les rapports formels et internes établis entre elles créaient un tout cohérent et visuellement indépendant. Mais, tout en continuant d'exécuter des assemblages, Collyer abandonna la préoccupation formaliste à l'égard de l'objet sculptural en tant qu'il se définit et s'affirme par le biais des relations formelles internes. Comme nous l'avons vu, ses principes de composition comprennent ce genre de relations mais celles-ci sont subsumées sous une approche plus axée sur le champ visuel total de l'assemblage.

L'évolution vers un art d'évocation et d'allusion, qui se manifeste dans cette exposition avec JE SUIS ENCORE UN JEUNE HOMME, constitue une transformation majeure des principes minimalistes et formalistes et semblerait refléter l'adoption par Collyer d'une position et d'un rôle artistiques nouveaux.[1]

Les minimalistes ont voulu clarifier des questions d'identité et de spécificité en considérant les objets comme de simples présences matérielles. Ils avaient pour tactique de s'en tenir exclusivement aux composantes formelles et matérielles les plus élémentaires de l'objet et ils excluaient toutes les autres considérations qu'ils jugeaient hors-propos ou philosophiquement inacceptables. On écartait le symbole, l'évocation et la référence parce que sources d'illusion. Une boîte est une boîte et seulement une boîte. La logique du minimalisme était du type 'ou bien ceci/ou bien cela': ou bien l'oeuvre est vue dans sa réalité littérale, ou bien elle fait référence à quelque chose d'autre qu'elle même.

Ce que l'oeuvre de Collyer conteste dans l'attitude minimaliste, c'est son intérèt exclusif pour la littéralité. Toutefois, en se tournant vers une adoption de l'usage sémantique, il n'a pas simplement fait sienne une position inverse de celle des minimalistes: il s'est mis à travailler selon une logique différente: celle du type 'et ceci/et cela'. Parce que cette logique amenait Collyer à étudier les deux termes de l'opposition entre le littéral et le sémantique aussi bien que les divers rapport qui peuvent exister entre eux, elle transforma profondément la portée de son oeuvre. Les boîtes de RESSEMBLANCES sont des objets franchement littéraux, mais elles transcendent tout de même la simple présence physique. La tente de JE SUIS ENCORE UN JEUNE HOMME est un objet à la fois pratique et utilitaire et elle est aussi un type ou un modèle qui évoque tout un champ sémantique. Les pièces photographiques, DE NOUVEAUX SYSTÈMES DE CROYANCES, et les ouvrages récents étudient la croyance, la conviction et l'idéologie en démontrant leur dépendance aux conditions littérales. La question est la suivante: une fois que nous avons appelé une chose une boîte, pouvons-nous croire que c'est SEULEMENT une boîte?

Deux aspects de la doctrine formaliste, du moins de la version moderniste élaborée par Clement Greenberg, présentent un certain intérêt pour notre analyse. Greenberg élabore une perspective de l'histoire de l'art selon laquelle la musique, la peinture et la sculpture semblent chacune adopter une démarche réflexive; elles étudient, critiquent et purifient les moyens qu'elles utilisent pour affirmer l'autonomie spécifique de chaque mode d'expression et pour atteindre le but qui est le leur, soit la création d'une forme esthétique. Nous nous intéressons ici à cette démarche réflexive et au but mentionné.

L'oeuvre de Collyer est nettement réflexive en ce sens qu'elle comporte un examen constant des moyens. Mais l'essentiel de sa critique vise non seulement à établir l'autonomie de son oeuvre en tant qu'art, mais aussi à démontrer comment fonctionnent les systèmes non-artistiques qu'il utilise. Les rapports textes/images qu'on retrouve dans maints ouvrages – notamment dans SANS TITRE (PÉRIODIQUE) – l'utilisation du mouvement dans DE NOUVEAUX SYSTÈMES DE CROYANCES et l'uniformisation des dimensions dans les ouvrages récents distinguent ces pièces des produits analogues de notre culture tout en invitant le spectateur à évaluer de façon critique la façon dont ces produits véhiculent une idéologie.

Il y a plus: la création d'une forme esthétique qui soit un objet de perception n'est pas le seul but de Collyer. Dans son oeuvre, il traite la forme perceptible comme une condition de la signification, ce qui l'amène à en examiner le fonctionnement dans la production de diverses structures sémantiques. Dans les oeuvres de début, les titres équivalent à des noms; par la suite, ils proposent des programmes qui

---

[1] Sur la notion de la 'position' de l'artiste contemporain, voir le bref mais important texte d'introduction par Thierry de Duve au catalogue *Tornai*, publié par la Maison de la culture de Tornai, Belgique, 1979.

orientent plus aisément notre recherche de la signification. Les légendes sont des déclarations mais aussi des insinuations. JE SUIS ENCORE UN JEUNE HOMME, qui utilise deux structures de signification quelque peu différentes, évoque et sous-entend des éléments biographiques. SHIRLEY ET CLINT EASTWOOD abordent le problème de la réalité et de la fiction, SANS TITRE NO. 3 signale qu'entre déclaration et persuasion il n'y a qu'un pas et SANS TITRE (PÉRIODIQUE) met en lumière les rôles de l'information explicite et implicite. Et tandis que QUELQUE CHOSE DE RV́OLUTIONNAIRE joue sur la différence entre la description et la narration, DE NOUVEAUX SYSTÈMES DE CROYANCES se concentre sur le rôle que nous assumons dans la formulation d'une idéologie.

Toutefois, ce serait limiter la valeur de l'oeuvre de Collyer que d'y voir seulement une étape de plus à l'intérieur de la tradition artistique d'obédience minimaliste et formaliste. Les modifications que je viens d'exposer à grands traits – l'introduction d'une logique de simultanéité (du type 'et ceci/et cela') aussi bien que l'approche critique des structures sémantiques que l'on retrouve dans les systèmes de production et d'information contemporaines – impliquent l'adoption d'une position radicalement différente de celle fréquemment associée à la pratique de l'art 'avancé'.

L'artiste 'avancé' se veut indépendant des contraintes sociales et intégré à une tradition autonome soucieuse de sa propre justification. Cette indépendance, qui se traduit fréquemment, mais pas nécessairement, par une certaine marginalité sociale, l'artiste la considère comme une condition nécessaire au plein développement et au libre exercice de son rôle de Chef de file culturel. Membre de l'avant-garde, l'artiste est comparé à un pionnier qui dresse le plan du terrain culturel. Il ne nous reste qu'à suivre.

Cette indépendance, certainement une valeur positive dans la mesure où elle a garanti le droit de l'artiste à étudier les choses en principe et à adopter une orientation déterminée par sa personnalité; elle a toutefois eu l'effet négatif de promouvoir l'idée que la valeur fondamentale de l'art réside dans l'exercice arbitraire du choix, dans l'affirmation pure et simple du moi de l'artiste. On a fréquemment aggravé cette tendance en prétendant retrouver dans l'art du passé une 'permission' ou une 'autorisation'. Les partisans de ce retour en arrière utilisent l'historicisme pour justifier l'égocentrisme: l'oeuvre tire sa justification et sa valeur, non des ses rapports avec le monde et la société dans laquelle elle est produite et exposée, mais exclusivement de ses liens de continuité avec d'autres oeuvres d'art. 'L'art', nous dit-on, 'ne concerne que l'art'.

A confondre indépendance et irresponsabilité, on risque de voir l'art 'avancé' se replier sur lui-même et réduire sa recherche d'innovation à un maniérisme dénué de sens. Si, en suivant les tactiques de l'irresponsabilité sociale, l'art 'avancé' assume son rôle de chef de file culturel, ce n'est pas tant par le contenu proposé que par l'exploitation qu'en font les membres dominants de notre société. La valeur de l'oeuvre dépend alors de son usage: c'est un objet d'investissement, une source de prestige, un modèle de ce qui est désirable et un instrument de persuasion idéologique.

La position adoptée par Collyer depuis 1973 se caractérise par une ouverture d'esprit face aux conditions concrètes qui régissent les systèmes d'information, et par une préoccupation à l'égard des implications personnelles et sociales de ces conditions. En utilisant les médias contemporains comme un moyen et un objet d'exploration, Collyer évite le repli sur soi et l'irresponsabilité qui marquent l'art 'avancé' d'aujourd'hui. Ici, l'indépendance de l'artiste apparaît comme le fondement d'une attitude critique face au réseau complexe de procédés et de systèmes qui nous entoure et qui détermine, dans une large mesure, notre connaissance des faits, notre capacité de réflexion, l'orientation de notre désir et notre aptitude à communiquer entre nous. L'oeuvre émerge, non seulement d'un courant artistique déjà existant, mais aussi du monde non-artistique. Tout en soulevant de sérieuses questions de principe, elle nous invite à explorer nous aussi l'aspect esthétique, intellectuel et moral de la vie sociale. Le rôle de l'artiste, qui repose sur son affiliation et sa participation à une structure sociale qu'il partage avec nous, est celui d'un animateur qui signale les incertitudes, définit les problèmes et nous exhorte à formuler notre propre jugement. Là, réside essentiellement la valeur de l'oeuvre de Collyer.　　　　　　　　　　　　　　　　　　　　　●

Chronology

1949
Born in London, England.

1957
Moves to Toronto where he still lives.

1967-68
Studies at Ontario College of Art, Toronto.

1969
Participates in group exhibitions:
Agnes Etherington Art Centre, Queen's University, Kingston
Sculpture Show, Hart House, University of Toronto
Hart House, University of Toronto

1970
Participates in group exhibitions organized by the Carmen Lamanna Gallery:
Scarborough College, University of Toronto,
Canadian Cross Sections 1970, Rothman's Art Gallery, Stratford
Carmen Lamanna Gallery, Toronto

1971
One man show at Carmen Lamanna Gallery, Toronto *Sculpture of Here and Now,* a ½ hour EVTO film, featuring Robin Collyer, David Rabinowitch and Karl Beveridge.

1972
One man show at Carmen Lamanna Gallery, Toronto
Two man show (with Tom Dean) at Carmen Lamanna Gallery, Toronto

1973
Participates in group exhibitions, notably:
Boucherville Montreal Toronto London 1973 The National Gallery of Canada, Ottawa
Gallery 219, University of Buffalo, Buffalo

1974
One man show at Carmen Lamanna Gallery, Toronto
Participation in *Contemporary Ontario Art* Art Gallery of Ontario, Toronto

1975
Participation in group exhibitions, notably:
Carmen Lamanna Gallery at Owens Art Gallery
Owens Art Gallery, Mount Allison University, Sackville
Carmen Lamanna at the Canadian Cultural Centre
Canadian Cultural Centre, Paris

Robin Collyer
October 16 - November 4, 1976
Carmen Lamanna Gallery
840 Yonge St. Toronto.
m4w 2h1. (416) 922-0410

1976
One man shows at:
Owens Art Gallery, Mount Allison University, Sackville
Carmen Lamanna Gallery, Toronto

1977
Participation in *Onze Sculpteurs canadiens* Musée d'art contemporain, Montreal

1978
One man show at Carmen Lamanna Gallery, Toronto
Participation in group shows:
Kanadische Künstler, Kunsthale, Basel, Switzerland
Aspects of Sculpture, Ontario College of Art, Toronto

1979
One man show at Carmen Lamanna Gallery, Toronto
Participation in group show at Galerie Marielle Mailhot, Montreal

1980
Participation in *Seven Toronto Artists.* Artists' Space, New York.
Darn These Hands, a work in the 'Television by Artists Series', produced and directed by Robin Collyer and Shirley Wiitasalo for A-Space and Rogers Cable TV. Telecast on Rogers Cable TV Channel 10, Toronto, June 18 and 20, 1980.
The Girl Can't Fly It, a work in the 'Radio by Artists Series', produced and directed by Robin Collyer and Shirley Wiitasalo for A-Space in co-operation with Fine Art Broadcast Services.
Publication of Collyer's 'Untitled Magazine', pages 37-40, in *Impulse Magazine* (Summer 1980), pp. 36-39.

1981
Darn These Hands broadcast: Calgary, Alberta: Cable 10, June 26-27. Banff, Alberta: Banff Cable, June 30.
One man show at Carmen Lamanna Gallery, Toronto
Robin Collyer Early Work at Gallery 76, Toronto
Künstler Bücher, Frankfurter Kunstverein, 14 October 1981 (international show of artists' publication.)

Chronologie

1949
Né à Londres, Angleterre.

1957
Déménage à Toronto, où il demeure encore.

1967-68
Etudie au Ontario College of Art, Toronto.

1969
Participe à des expositions de groupe:
Agnes Etherington Art Centre, Université Queen's, Kingston
Sculpture Show, Hart House, Université de Toronto
Hart House, Université de Toronto

1970
Participe à des expositions de groupe organisées par la Carmen Lamanna Gallery:
Scarborough College, Université de Toronto
Canadian Cross Sections 1970, Rothman's Art Gallery, Stratford
Carmen Lamanna Gallery, Toronto

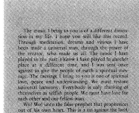

1971
Exposition solo à la Carmen Lamanna Gallery, Toronto
Sculpture of Here and Now, film d'une demi-heure de l'EVTO, produit par
Robin Collyer en collaboration avec David Rabinowitch et Karl Beveridge.

1972
Exposition solo à la Carmen Lamanna Gallery, Toronto
Exposition duo (avec Tom Dean) à la Carmen Lamanna Gallery, Toronto

1973
Participe à des expositions de groupe, notamment
Boucherville Montreal Toronto London 1973, La Galerie Nationale du Canada, Ottawa
Gallery 219, Université de Buffalo, Buffalo

1974
Exposition solo à la Carmen Lamanna Gallery, Toronto
Participation à *Contemporary Ontario Art*, Musée des beaux-arts de l'Ontario, Toronto

1975
Participation à des expositions de groupe, notamment:
Carmen Lamanna Gallery at Owens Art Gallery, Owens Art Gallery, Mount Allison University, Sackville
Carmen Lamanna at the Canadian Cultural Centre
Maison canadienne de la culture, Paris

1976
Expositions solos:
Owens Art Gallery, Mount Allison University, Sackville
Carmen Lamanna Gallery, Toronto

1977
Participation à *Onze sculpteurs canadiens,* Musée d'art contemporain, Montréal

1978
Exposition solo à la Carmen Lamanna Gallery, Toronto
Participation à des expositions de groupe:
Kanadische Künstler, Kunsthalle, Basel, Suisse
Aspects of Sculpture, Ontario College of Art, Toronto

1979
Exposition solo à la Carmen Lamanna Gallery, Toronto
Participation à une exposition de groupe à la Galerie Marielle Mailhot, Montréal, Québec

1980
Participation à *Seven Toronto Artists,* Artists' Space, New York
Darn These Hands, une oeuvre de la 'Television by Artists Series,' produite et dirigée par Robin Collyer et Shirley Wiitasalo pour A-Space et Rogers Cable TV. Telecast au réseau Rogers Cable TV. canal 10, Toronto, les 18 et 20 juin 1980.
The Girl Can't Fly It, une oeuvre de la 'Radio by Artists Series', produite et dirigée par Robin Collyer et Shirley Wiitasalo pour A-Space en coopération avec Fine Art Broadcast Service.
Publication de 'Untitled Magazine' de Collyer, pages 37 à 40, dans *Impulse Magazine* (été 1980), pp. 36 à 39.

1981
Exposition solo à la Carmen Lamanna Gallery, Toronto, Ontario
Robin Collyer Early Work à la Gallery 76, Toronto
Diffusion de *Darn These Hands:*
Calgary, Alberta: canal 10 (câble), les 26 et 27 juin. Banff, Alberta: câble de Banff, le 30 juin.
Künstler Bücher, Frankfurter kunstverein, 14 octobre 1981 (exposition internationale et publication de l'artist)

Selected Bibliography
Bibliographie Sommaire

Andrews, Bernadette, 'This solo show an oasis' *Toronto Telegram* (10 July/juillet 1969)

Bolduc, David 'Robin Collyer at the Carmen Lamanna Gallery' *Proof Only* I no. 4 (22 February/février 1974)

Evans, Ric 'Robin Collyer at the Carmen Lamanna Gallery' *Artist's Review* (8 April/avril 1978)

Fry, Philip 'Robin Collyer: Event, Description, Narrative' *Parachute* no. 20 (automne 1980) 36-45

Fulford, Robert 'Canadian's uncollectable art enshrined by National Gallery' *Toronto Star* (1 September/septembre 1973)

Hale, Barrie 'First, there was sculptor Ganzalez' *Toronto Star* (30 October/octobre 1969)

Klepak, Walter 'Minimal forms contrast with regional collage in shows' *The Canadian Jewish News* (3 March/mars 1972)

Kritzwiser, Kay 'At the Galleries' *Toronto Globe and Mail* (20 February/février 1971)

- 'At the Galleries: Other Galleries' *Toronto Globe and Mail* (19 February/février 1972)

- 'At the Galleries: Other Galleries' *Toronto Globe and Mail* (2 February/février 1974)

Lehman, Henry 'The Ontario art scene' *Montreal Star* (26 May/mai 1979)

Littman, Sol 'Summer's a great time for touring galleries' *Toronto Star* (13 July/juillet 1973)

- 'National Gallery raises some critical eyebrows with newest showing' *Tornto Star* (18 August/août 1973)

- 'Young artist's daring rivals best in the U.S.' *Toronto Star* (25 January/janvier 1974)

- 'Artist's nightmares extraordinarily beautiful' *Toronto Star* (5 February/février 1974)

- 'Robin Collyer's 29 and still juvenile' *Toronto Star* (26 March/mars 1978)

Monk, Philip 'Television by Artists' *Canadian Forum* LXI no. 709 (May/mai 1981) 37

Nasgaard, Roald 'Boucherville Montreal Toronto London 1973' *Artscanada* XXX no. 4 (October/octobre 1973) 82-85

Nixon, Virginia 'Five Toronto artists bring their works east' *The Gazette* (2 June/juin 1979)

Princenthal, Nancy 'Seven Toronto Artists' *Art Forum* (September/septembre 1980) 73

Purdie, James 'Robin Collyer' *Toronto Globe and Mail* (28 October/octobre 1976)

- 'Robin Collyer' *Toronto Globe and Mail* (1 April/avril 1978)

Rettig, Ted 'Robin Collyer at Carmen Lamanna Gallery until 20 April' (8 April/avril 1978)

Rhodes, Rick 'Robin Collyer, Carmen Lamanna Gallery' *Vanguard* X no. 10 (December 1981/January 1982)

Russell, Paul 'A fine selection of fresh new art work' *Toronto Star* (15 August/août 1970)

- 'Some of Canada's most talented artists are on display here' *Toronto Star* (26 December/décembre 1970)

Sable, Jared 'Russell's venture finds new talent' *Toronto Telegram* (19 July/juillet 1969)

- 'Hart House: Filling the Void' *Toronto Telegram* (25 October/octobre 1969)

Weiler, Merike 'Earnest sculptor moves in a new direction' *Toronto Star* (18 February/février 1972)

- 'In the Galleries – Toronto' *Artscanada* XXIX no. 5 (December/décembre 1972 – January/janvier 1973) 74-76

Woodman, Ross 'National Gallery invites criticism but is 'best ever' *Business Quarterly* XXXVIII no. 3 (Autumn/automne 1973)

Woods, Kay 'Robin Collyer' *Artscanada* XXXV no. 3 (October/octobre – November/novembre 1978) 62

Viau, Réne 'Cinq artistes torontois à Montréal' *Le Devoir* (2 juin/June 1979)

Catalogues

Ottawa, National Gallery of Canada *Boucherville, Montreal, Toronto, London* 1973

Sackville, Owens Art Gallery, Mount Allison University *Carmen Lamanna Gallery at Owens Art Gallery* 1975

Sackville, Owens Art Gallery, Mount Allison University *Robin Collyer* 1976

Montreal, Musée d'art contemporain *Onze Sculpteurs canadiens* 1977 Text introduction/Texte d'introduction par Alain Parent

Basel, Kunsthalle *Kanadische Kunstler* 1978. Text of catalogue in German. It includes a brief introduction to Collyer's work by Jean – Christophe Ammann and a translation of a letter from Robin Collyer to J.C. Ammann/Catalogue rédigé en allemand. Il comprend une brevè présentation de l'oeuvre de Collyer par Jean – Christophe Ammann et la traduction d'une lettre de Robin Collyer à J.C. Ammann.

New York, Artists' Space *7 Toronto Artist* 1980 Organized by/Organizée par Ragland Watkins

Photography
Photographie

1	1	Robin Collyer
	2	Robin Collyer/Courtesy of Carmen Lamanna
	3	Robin Collyer/Courtesy of Carmen Lamanna
	4	Robin Collyer
	5	Robin Collyer
2	1	National Gallery of Canada
	2	Robin Collyer
	3	Robin Collyer
	4	Robin Collyer
3	1	Robin Collyer
	2	Robin Collyer
	3	Robin Collyer/Courtesy of Carmen Lamanna
4	1	Robin Collyer/Courtesy of Carmen Lamanna
	2	Robin Collyer
	3	Robin Collyer
	4	Robin Collyer
	5	Robin Collyer
5	1	Rick Porter/Courtesy of Carmen Lamanna
	2	Robin Collyer/Courtesy of Carmen Lamanna
	3	Rick Porter/airbrush by Ernst Zundel
	4	Rick Porter/airbrush by Ernst Zundel
	5	National Gallery of Canada
6	1	Robin Collyer/Courtesy of Carmen Lamanna
	2	Robin Collyer/Courtesy of Carmen Lamanna
	3	Robin Collyer/Courtesy of Carmen Lamanna
	4	Carmen Lamanna
	5	Shirley Wiitasalo
	6	Robin Collyer/Courtesy of Carmen Lamanna
7	1	Robin Collyer/Courtesy of Carmen Lamanna
	2	Robin Collyer
8	1	Robin Collyer
	2	Robin Collyer/Courtesy of Carmen Lamanna
9	1	Robin Collyer/Courtesy of Carmen Lamanna
	2	Robin Collyer
	3	Robin Collyer
10	1	Robin Collyer/Courtesy of Carmen Lamanna
	2	Robin Collyer/Courtesy of Carmen Lamanna

11	1	Robin Collyer/Courtesy of Carmen Lamanna
	2	Robin Collyer
12	1	Robin Collyer/Courtesy of Carmen Lamanna
	2	Robin Collyer
13	1	Robin Collyer/Courtesy of Carmen Lamanna
	2	Robin Collyer/Courtesy of Carmen Lamanna
14	1	Robin Collyer/Courtesy of Carmen Lamanna
	2	Robin Collyer/Courtesy of Carmen Lamanna
	3	Robin Collyer/Courtesy of Carmen Lamanna
	4	Robin Collyer/Courtesy of Carmen Lamanna
	5	Robin Collyer/Courtesy of Carmen Lamanna
	6	Robin Collyer/Courtesy of Carmen Lamanna
	7	Robin Collyer
15		All photos/tous les photographes
		Robin Collyer/Courtesy of Carmen Lamanna
16		All photos/tous les photographes
		Robin Collyer/Courtesy of Carmen Lamanna
17	1	Henk Visser/Courtesy of Carmen Lamanna
	2	Henk Visser/Courtesy of Carmen Lamanna
18	1	Henk Visser/Courtesy of Carmen Lamanna
	2	Robin Collyer
	3	Robin Collyer
	4	Robin Collyer
19	1	Henk Visser/Courtesy of Carmen Lamanna
	2	Robin Collyer
	3	Robin Collyer

Chronology
Chronologie

1	Robin Collyer
2	'not a photo'
3	'not a photo'
4	Robin Collyer
5	Robin Collyer
6	Henk Visser/Courtesy of Carmen Lamanna
7	Christian Baur
8	Robin Collyer